L'OCCASION FUGITIVE

Aux Éditions Gallimard

La Danse de Nietzsche
Le Ciel du voyageur
L'Homme immobile
Et il ne pleut jamais, naturellement

Chez d'autres éditeurs

La nuit est en avance d'un jour (Orban)
Henry Miller, ange, clown, voyou (Plon)
Alexandrines (La Table Ronde)
En face du jardin (Six jours dans la vie de Rainer Maria Rilke) (Flammarion)
Voyager vers des noms magnifiques (Finitude)

Traductions

Anaïs Nin, *Journal non expurgé* – 6 volumes (Stock)
Anaïs Nin-Henry Miller, *Une correspondance passionnée* (Stock)

BÉATRICE COMMENGÉ

L'OCCASION FUGITIVE

roman

Éditions Léo Scheer

And
 for
 ever
return where it all started and
  night
   after
    night
     dance
      our dance

« Il faut traverser la vaste carrière du temps pour arriver au centre de l'occasion. »

Baltasar Gracián

« Je crois que la vraie pantomime érotique, dans ce qu'elle a de décisif, n'est pas l'étreinte, mais la rencontre. »

Hofmannsthal

En m'installant dans le wagon presque vide, tout à l'heure, à droite – c'est-à-dire à l'ouest, là où le soleil à peine levé ne risquait pas de m'éblouir –, j'ai senti que cette ivresse joyeuse qui ne me quittait pas depuis que j'étais arrivée à la gare était de nature nouvelle. Ces trois heures qu'allait durer le trajet jusqu'à la ville inconnue où vous avez désiré m'accueillir échappaient, j'en étais convaincue, au passage normal du temps. La sensation était encore diffuse. J'avais l'impression, bien orgueilleuse, que c'était elle, la joie, qui me désirait, qui m'ordonnait – oserai-je ? – de la choisir.

« Avez-vous jamais dit oui à une joie ? »

Vraiment oui.

Oui comme je dis oui, ce matin, alors que le train n'a pas encore quitté Paris.

« Avez-vous jamais voulu deux fois au lieu d'une ? Deux fois *cet* instant, *ce* bonheur ? » Je dis oui dans ce train qui glisse, ce train qui ne s'arrêtera pas avant la gare où vous m'attendez. Ces minutes, je veux déjà les revivre, encore et encore. Je le sais.

Ce temps sera toujours parfait – ce moment précis où le corps se prépare au rendez-vous. Dans l'avenir, la durée pourra varier, et la vitesse du déplacement. Peu importe. Cette fois, le bonheur s'étire – trois heures. Vous avez roulé dans la nuit pour arriver avant moi. «Surtout, soyez prudent», n'ai-je pu m'empêcher de vous écrire. Mort interdite. Dernier message. Derniers mots échangés. Il y en a eu tellement, des mots, en quatre ans, des mots qui préparaient cet instant, qui le différaient sans cesse, depuis la rencontre.

«Tu me plais, bonheur! Instant! Clin d'œil!» Comme vous avez eu raison de m'offrir ces trois heures… Et, de plus, en mouvement – le corps insaisissable, insituable. Du temps pur. De la sensation pure. À quelle histoire appartiennent ces heures? À celle de l'attente qui s'achève? À celle de l'union qui commence? Peut-être au seul printemps, là, derrière la vitre, si perceptible déjà dans la lumière. Écrire ce printemps qui file à toute allure, les bourgeons roses, les rivières sombres, les troncs noirs, et le vert encore hésitant. Voilà plusieurs semaines que je cherche à saisir l'instant où je m'écrierai: «Midi! Midi et éternité.» J'ai cru le reconnaître, l'autre jour, alors que nous étions assis dans la serre tropicale. Je ne sais plus comment nous nous étions retrouvés soudain au Jardin des Plantes. Nous nous étions donné rendez-vous beaucoup plus loin, à l'angle de la rue de Rennes et de la rue du Vieux-Colombier, et nous avions marché le long du fleuve. J'avais l'impression que nous avancions au hasard, je trouvais qu'il faisait bien les choses : l'eau, les arbres, la lumière, à notre portée. Mais peut-être aviez-vous décidé à l'avance de ce parcours idéal et je me contentais de vous suivre, comme aujourd'hui. Nos pas s'emboîtaient. Légers. « Celui qui a les pieds légers court par-dessus la vase et danse comme sur de la glace balayée. » Entrer dans la serre tropicale, c'était ouvrir une fenêtre sur le vert du pays où vous avez grandi, au bord du Pacifique, mais vous n'avez rien dit. J'ai parlé de Manaus et de ce bateau blanc sur lequel j'avais descendu l'Amazone jusqu'à Belém. C'est la seule moiteur que je connaisse. Il n'y avait presque personne dans la serre à l'heure du déjeuner et nous nous sommes assis sur un banc. Vous m'aviez offert le dernier livre de Vila-Matas, celui qui parle des écrivains qui n'écrivent pas, de ceux qui se sont arrêtés brutalement, ou de ceux qui n'ont jamais commencé. J'avais aimé ce choix. J'ai gardé le livre à la main, pour éviter de serrer la vôtre. J'en avais très envie. Vous aviez promis de m'accompagner jusqu'à la bibliothèque. Nos corps semblaient gênés. « Nous avons tout le temps devant nous », avez-vous murmuré. Mes muscles se sont aussitôt détendus. Pour être précise, c'est là, à cet instant où vous avez prononcé ces mots, que j'aurais pu m'écrier : « Mon monde ne vient-il pas d'être parfait, minuit est aussi midi. » Votre bras droit m'a serrée fortement en me quittant. J'ai conservé longtemps la sensation de cette pression dans mon dos. Le plus longtemps possible.

Je me demande à quelle heure vous avez franchi la Loire, cette nuit. Nous nous sommes promis de ne pas nous appeler. J'ai éteint mon portable pour ne pas être tentée. Je ne souhaite pas être rassurée. Je veux aller à votre rencontre, au lieu choisi de notre rendez-vous. Vous ne savez pas encore à quel point j'aime les gares, ni à quel point je chéris tout ce que nous ne savons pas encore l'un de l'autre. Hier, je ne vous l'ai pas dit, mais j'ai relu les lettres que j'ai reçues de vous depuis quatre ans, ainsi que les messages électroniques qui leur ont succédé, plus brefs, et plus fréquents, naturellement. La perspective de notre retrouvaille – de notre trouvaille, devrais-je écrire – en modifie forcément le sens. Ces missives qui, au cours des mois, surgissaient avec la surprise d'un jour de printemps en hiver, détachées du fil des travaux et des engagements, prennent soudain place dans l'histoire en train de naître : elles en sont le ferment tout autant que la clé.

Bref, j'ai lu. En quatre ans, nos corps se sont beaucoup promenés. À l'heure où ils vont enfin se rejoindre, leurs déplacements dans l'espace deviennent chorégraphie mystérieuse, apparitions, disparitions, rythmées par les caprices des jours. Sur la carte du monde épinglée à mon mur (car il y a toujours une carte du monde dépliée sur le mur des chambres que j'habite, ça non plus, vous ne le savez pas encore), je me suis amusée à marquer d'une croix les lieux que nous avons traversés, avec la date. Croix violettes pour vous, jaunes pour moi. Les jaunes se concentrent en Europe, avec incursions dans le Nord de l'Afrique, les violettes s'écartèlent entre l'Asie et l'Amérique du Sud. Au centre, Paris devient la ville des départs, ou des retours, comme on voudra. La ville où s'écrivaient les lettres. Les cartes postales étaient plutôt réservées aux voyages, même aux échappées les plus courtes, par convention, ou par paresse. En reliant d'un trait les croix entre elles, j'ai eu l'impression de voir surgir une de ces cartes imprimées sur les magazines des compagnies aériennes indiquant les routes de leurs avions. Peut-être un sens s'en dégagera-t-il un jour, à force d'observation. Vous m'aiderez à le déchiffrer.

Quant aux dates, l'énigme est plus grande encore. Le déchiffrement sera plus long, plus difficile sans doute, car aux circonstances se mêle le désir. Cette impulsion mystérieuse qui, un matin, ou un soir, nous poussait, l'un ou l'autre, à prendre la plume pour nourrir ce lien dont nous taisions la nature. La littérature nous aidait beaucoup. Je me souviens de Valéry : « étonner, exciter, dilater – se régénérer – fermer le désir qu'on a ouvert, et rouvrir ce désir », je me souviens parfaitement de la petite chambre de Venise où j'avais recopié à votre intention cette phrase que je venais de lire. (Combien de phrases ai-je ainsi relevées « à votre intention » ? Sans doute plus que vous n'en avez reçu. Et j'en viens soudain à me demander si notre correspondance, à mon insu, ne donnait pas à mes lectures non seulement une acuité plus grande, mais une orientation nouvelle…) C'était il y a un an, en février, il faisait très froid, et Venise m'avait donné envie de vous écrire longuement, de vous parler longtemps. Étonnement, excitation, dilatation – et, surtout, régénérescence –, image du corps qui respire, de l'air inspiré, expiré, renouvelé. Assez renouvelé, chaque fois, pour rouvrir le désir. Le désir de l'attente. « Je préfère les jours qui *antécèdent* vos lettres », disiez-vous… « les semaines », auriez-vous pu écrire, les mois, même, parfois. J'avais aimé ce verbe de votre invention,

« antécéder ». Je le trouvais plus juste, plus évocateur que le trop sec « précéder ». J'y ajoutais un léger accent à l'oreille. L'aveu de cette préférence avait rendu plus subtile encore la longueur des silences. Ne prenions-nous pas trop de risques à défier ainsi le temps ? Avions-nous une confiance si grande en notre capacité à reconnaître le *kairos* ?

C'est vous qui, le premier, avez parlé de lui, de ce « juste temps », en déclinant un rendez-vous que je vous avais fixé, un peu hasardeusement, il y a un mois, au pied de la statue de Montaigne, rue des Écoles, vous retranchant derrière une boutade d'Oscar Wilde que vous aviez peut-être inventée : « en affaires d'amour, la ponctualité est indispensable », ajoutant aussitôt, comme pour affermir votre propos, ou justifier votre retrait, « en grec ancien, on appelle ça *kairos* ». Comment n'y avais-je pas pensé ? N'était-ce pas lui, ce dieu (mais est-ce un dieu ?), qui avait dicté les rythmes, depuis le début ? Celui des lettres et celui des silences. Alors, j'ai recherché le visage de *Kairos* ; car il en a un, l'avez-vous vu ? Lysippe l'a sculpté, à Sicyone, il y a deux mille trois cents ans. Je fais semblant d'être savante. En vérité je suis émue, car Sicyone ne m'est pas inconnu : je l'ai traversé, un jour de printemps, sur la route de Corinthe à Patras. Sicyone est devenu Kiato dans la Grèce moderne, la vie de la ville est descendue au bord de l'eau et les ruines du vieux théâtre sont délaissées sur la colline. J'étais bien loin de penser alors qu'un artiste avait tenté, ici même, de donner figure à l'insaisissable, et je ne m'étais pas arrêtée.

Au fait, c'était en ce printemps plutôt pluvieux qui précéda l'automne de notre rencontre.

Depuis, depuis ce jour où nous ne nous sommes *pas* rencontrés au pied de la statue de Montaigne, je n'ai cessé de chercher à en savoir davantage sur lui. Il est bon que les amours soient protégées par un dieu. J'ai choisi celui-là – peut-être parce qu'il n'en est pas vraiment un. Sa nature sans cesse fuyante protège de l'enlisement. Car c'est ainsi que j'ai toujours souhaité nos jours et nos désirs : d'une éternelle nouveauté. Le moment opportun et fuyant, c'est cela, *Kairos*. Je vous le décrirai, peut-être même irons-nous un jour jusqu'à Trogir, en Croatie, voir sa représentation la plus ancienne, ce n'est pas celui de Lysippe, tant pis, mais il lui ressemble. Connaissez-vous ses qualités ? Jeunesse, beauté, légèreté, vivacité, équilibre. *Kairos* a les pieds ailés.

Ce matin, j'ai l'impression que mes ailes sont les roues de ce train sur ses rails. En cet instant, elles traversent une campagne plate, aux couleurs de terre, je n'ai jamais aimé cette portion du trajet, avant la traversée de la Loire, ces mornes plaines de la Beauce, les arbres manquent, ils me manquent, en tout cas. Vous m'avez écrit que vous aimiez les arbres. «Eux seuls sont au-dessus de tout soupçon», disiez-vous. J'avais souri. Le chêne est votre préféré. Tant mieux, il y en a beaucoup dans ce petit coin de France où nous devons nous retrouver. Mais quel est l'arbre de votre enfance? Un jour, vous m'avez parlé des oliviers qui poussent en plein milieu de votre ville. Comme un enfant grec, vous avez donc joué parmi les oliviers. Et tout à coup le Pacifique s'est trouvé relié à la ville blanche où je suis née devant la Méditerranée. Vous ai-je dit que le parc que je traversais, à huit ans, pour me rendre à l'école s'appelait le Parc Mont riant? À l'époque, je n'avais saisi ni le mont, ni le rire. Pour moi, c'était un nom propre, Monrian, et c'était seulement le chemin de l'école, j'y ramassais des pommes de pin à la saison des pignes. Je connaissais si peu le nom des arbres. Dans mon jardin poussaient un oranger, un figuier et un néflier: trois noms appris en même temps que ceux de la mer et du ciel. Mais je m'égare, revenons à *Kairos*. Je ne cesse de faire sur lui des découvertes. D'abord, ses attributs: le rasoir et la balance. Le rasoir pour trancher dans la suite des jours, la balance pour tenir l'équilibre. Et puis sa chevelure, ramenée sur le front, impossible à saisir par derrière si, par malheur, on a laissé s'enfuir l'instant de son passage. L'*occasio*, jamais, ne se rattrape.

Nous avons donc tranché ce vendredi de mars dans la suite des jours. L'*occasio* n'est pas l'instant hasardeux de la rencontre, ce miraculeux enchaînement de circonstances que les amants émerveillés se sont de tout temps amusé à reconstituer, mais bel et bien celui de la décision. Décision de lever le bras pour s'emparer de la chevelure de *Kairos* avant qu'il ne tourne le dos pour nous offrir sa nuque lisse. Souvent, je peux bien vous l'avouer aujourd'hui, je me suis demandé, au cours de ces quatre années, pourquoi ni l'un ni l'autre ne levions le bras (et pourquoi, il y a deux ans, alors qu'un dîner nous avait par hasard remis en présence, nous avons, d'un commun accord, repris silencieusement le cours de notre échange épistolaire), pourquoi les lettres, nos lettres, loin de nous inciter à provoquer un rendez-vous, nous renforçaient encore davantage dans le désir de nous limiter à elles. C'est peut-être dans l'espoir de répondre à cette question que je me suis mise à les relire, ces lettres, maintenant que nous avons le bras tendu et que la chevelure de *Kairos* se trouve à portée de notre main. Et ces trois heures, ces cent quatre-vingts longues minutes offertes, en mouvement, à ma méditation, se logent dans cet espace minuscule qui sépare encore ma main de la chevelure tendue par le plus rapide des dieux. Un espace, certes, mais sans rétractation possible, à l'image de ce train qui ne marquera aucun arrêt avant la gare où vous m'attendez. Un espace-chance, pour ainsi dire. Une chance qu'il ne s'agit déjà plus de saisir – c'est fait –, mais d'aimer.

La chance était donc apparue un soir d'octobre. Avez-vous vu ce film de Rohmer (je n'ose citer le titre, je les confonds souvent) dans lequel deux amis qui s'étaient perdus de vue s'étonnent de se rencontrer par hasard en un lieu que ni l'un ni l'autre ne fréquente habituellement? «Mais seule cette dérogation à nos habitudes a permis la retrouvaille», fait remarquer l'un d'eux… En effet, comment aurions-nous pu nous croiser sur nos habituels trajets? Sans ce dîner où, pour des raisons différentes, nous avions chacun été convié, aucune occasion sans doute ne m'aurait permis de me retrouver assise à vos côtés, un peu craintive, au début, je l'avoue, comme on l'est toujours en ce genre de circonstance – crainte de l'ennui, et déjà regret d'avoir accepté l'invitation… Ennui dissipé au premier mot de vous – une question (l'aviez-vous préparée?), une question – et c'est ce qui me plut – qui avait l'air d'être adressée à vous-même, qui semblait la poursuite de vos songes du jour, une question de vie et de mémoire, de vie et de mort, dirais-je même... Vous m'avez demandé, donc, comme si je devais forcément connaître la réponse (était-ce un test?), si je me «souvenais» de l'emplacement du nom de Charles Baudelaire sur sa pierre tombale: était-il bien, comme vous sembliez le croire, coincé entre le général Aupick et sa chère mère? Il est vrai que notre dîner avait lieu tout à côté du cimetière Montparnasse... Vous aviez un doute, tout à coup, et vous m'en faisiez part, vous poursuiviez, là, devant moi, inconnue, le fil de vos pensées, vous tentiez votre chance (encore elle), l'inconnue assise à vos côtés n'avait peut-être pas non plus envie de s'ennuyer, après tout, elle aimait peut-être les cimetières, ou les poètes, ou les deux, et nous pourrions nous révéler l'un à l'autre à travers le chemin grisant de nos lectures. Dévoilement aussi pudique que redoutable, sans esquive possible. Et là, en cette seconde, je me sentis soudain bien honteuse: non, je ne savais pas où se trouvait Baudelaire, jamais je n'avais vu sa tombe, toujours j'avais remis la visite à plus tard... Trop près, trop facile, sans doute... Car je m'empressai de vous dire (avant d'être totalement disqualifiée et de crainte que vous n'abandonniez le terrain de la littérature) qu'aller voir les tombes d'écrivains pouvait constituer pour moi à soi seul le but d'un voyage : n'avais-je pas, en effet, à peine le Mur tombé, foncé jusqu'à Röcken pour découvrir enfin la tombe de Nietzsche ?... J'avais poursuivi les os de Dante de Ravenne à Florence, je m'étais penchée sur la tombe de Kafka à Prague, sur celle de Flaubert à Rouen, de Hölderlin à Tübingen, de Thoreau à Concord... Non, surtout, il ne fallait pas changer de sujet, rester en compagnie des éternels vivants, poursuivre, ne pas glisser dans le récit convenu de nos trop courtes vies. Et vous ne l'avez pas fait. C'était le seul moyen pour que ces quelques heures échappent à la durée. Assassiner le temps, ou plutôt le ravir – et dans « ravir » il y a rapt autant que ravissement...

Comme aujourd'hui.

Ça y est, le train vient de franchir le pont au-dessus de la Loire, je regarde toujours le fleuve par la fenêtre, c'est un rite très ancien, qui date de mes premiers voyages dans ce train, j'avais six ou sept ans, c'était l'été, toujours, et mes parents me faisaient remarquer les îles qui avaient surgi en plein milieu du fleuve, elles étaient chaque fois différentes, de forme et de taille, selon la sécheresse de la saison. Pas d'îles, aujourd'hui, vous vous en doutez, et vous n'aurez pas pu le vérifier si, comme je le suppose, vous avez traversé le fleuve au cœur de la nuit. Adolescente, déjà, je me demandais ce qu'elles devenaient pendant l'hiver, ces îles, si elles conservaient leur forme sous le courant, ou bien si l'eau entraînait tout sur son passage, je rêvais de m'y arrêter un jour et de me rendre en barque sur l'une d'elles, de marcher sur une terre qui allait mourir avec l'été, une terre que je serais peut-être la seule à avoir foulée de mes pas. Ma terre nouvelle à moi. Ma terre fragile, périssable, fugitive. Jouir de ce privilège de promener mon corps sur ce qui allait inéluctablement disparaître. En écrivant cette dernière phrase, me voici, je le crains, rattrapée par celle que je suis aujourd'hui. Rattrapée par ma joie présente. Par la conscience de cette joie, de sa réalité aussi tangible qu'une île d'été au milieu du fleuve, aussi neuve, aussi ancienne, et dont je ne doute pas de l'éternel retour.

Et nous nous sommes séparés, ce soir-là, ce premier soir. Habilement, vous m'aviez demandé mon adresse postale, afin de m'envoyer un livre dont nous avions parlé. Un livre sur la vie d'un poète. Je vous ai promis, de mon côté, d'aller photographier la tombe de Baudelaire et de vous adresser le cliché. Surtout : pas de téléphone – une façon élégante de nous confier que nos vies, et nos affections, se vivaient sans lourdeur, et peut-être même avec bonheur. Il était presque minuit, je m'en souviens, car j'ai regardé ma montre lorsque je suis passée devant la grille d'entrée du cimetière. J'ai même vérifié qu'elle était bien fermée. Elle l'était. À regret, j'ai poursuivi mon chemin. Déjà, je n'avais plus envie de *nous* quitter, de quitter ce monde sans commencement ni fin où nos paroles avaient dansé toute la soirée. Je me sentais légère. Déjà, j'attendais ce livre que vous m'aviez promis, vous n'aviez pas voulu m'en dévoiler le titre et j'en avais déduit que ce titre m'en apprendrait beaucoup sur vous-même ou sur la nature de l'échange que vous souhaitiez poursuivre. Aucune impatience, cependant. Dans cette histoire, le temps ne comptait pas, j'en étais convaincue. Je pressentais confusément que notre seul devoir serait de nous montrer dignes de ce formidable défi lancé aux amours périssables.

Vous avez deviné, sans doute, en lisant le début de cette interminable lettre, que je voyage en compagnie de Zarathoustra le danseur, car « la joie veut l'éternité », n'est-ce pas ? Elle veut du *miel*, du *levain*, un *minuit ivre*... Vous souvenez-vous de la suite ? Je la réserve pour ce soir – vous comprendrez pourquoi –, pour cet instant où le soleil rouge disparaîtra derrière les collines, devant la rivière noire, celle qui coule au pied de la maison où nous devons séjourner. En attendant, je prends plaisir (un plaisir plus intense que je ne l'aurais imaginé) à reconstituer les pièces du puzzle, à rassembler les lieux et les moments de nos corps séparés, comme si chaque morceau d'espace où nos cœurs ont pu palpiter pendant toutes ces années venait s'intégrer tout à coup à ce dernier trajet au centre de la France, un trajet qui, soudain, apparaît seulement comme le but du voyage.

Par exemple, si je vous demandais, comme ça, à brûle-pourpoint, où vous avez passé le Noël qui suivit l'automne de notre rencontre, pourriez-vous me décrire, comme vous l'avez fait de votre grande écriture bleue, ces vagues grises de l'Atlantique qui berçaient vos promenades le long du littoral d'une petite ville d'Espagne? Je me trouvais à Rome, au même instant, et le campo dei Fiori vibrait sous le soleil d'hiver. Il faisait si doux, je m'en souviens, que j'avais souhaité voir la mer, à Ostia. J'ai toujours eu un faible pour la mélancolie des stations balnéaires hors saison. Les journées étaient si courtes que mon ami et moi avions attendu l'or du couchant en marchant sur la plage face à une mer d'huile. « Mer d'huile »… L'expression fait remonter en moi le souvenir des paquebots de mon enfance qui, chaque année, m'arrachaient à la liberté de ma rue algérienne pour m'enfermer dans le jardin que vous verrez bientôt. Velours de Méditerranée contre fureur océane : ainsi s'opposaient les berceaux de nos enfances… Non que ma petite mer fût sans colère, j'en ai connu, je m'en souviens, lors d'une traversée de retour sur le paquebot *El-Djezaïr*, ponts désertés, valse des chaises longues sur les planches détrempées, nausées, tandis qu'on tentait de m'apprendre la différence entre tangage et roulis… « Colère et puissance » étaient vos mots pour décrire l'océan contemplé le long de votre rivage espagnol et votre lettre était encore tout imprégnée de l'énergie dégagée par cette rage.

Ainsi une année nouvelle commençait, l'avant-dernière du siècle passé. Mais, de dates, nous ne parlions jamais. Au fait, le livre promis, vous me l'aviez bien envoyé (cela, vous ne l'avez pas oublié, j'en suis sûre), son titre – *Le Voyageur immobile* –, et je l'avais emporté à Rome pour le lire.

Il s'agissait d'une biographie de Pablo Neruda, publiée vingt ans plus tôt. L'envoi était accompagné d'un petit mot évoquant l'allégresse dans laquelle la lecture de cet ouvrage vous avait « autrefois » plongé. Vous ne précisiez pas à quel âge, mais je sentais dans cet « autrefois » une allusion à un lointain vous-même avec lequel il ne vous aurait pas déplu de renouer, celui-là même qui s'était exprimé, devinais-je, avec une si franche gaieté lors de notre soirée à Montparnasse. Comment perpétuer ce ravissement (toujours lui) : telle semblait être la question. J'avais eu tout loisir dans le *Palatino* de méditer sur l'oxymore qui avait guidé votre choix, sur cette acrobatie impossible dont le poète semblait seul capable. Le poète et aussi l'amoureux – ai-je vraiment pensé à l'amoureux dans le *Palatino* ? je crains fort que cet optimisme ne me soit dicté par ma joie du jour... Cette voltige était-elle le défi que vous nous aviez lancé ? C'est ce que j'avais choisi de comprendre, un dédoublement de la vie, ou – bien mieux – un redoublement. En réponse, je m'étais donc contentée de recopier quelques vers de votre (notre) Voyageur immobile : «Nous n'allons pas perdre/ non plus/ ce rêve : pendant que nous sommes/ vivants/ nous ferons nôtre toute la vie véritable, mais aussi tous les rêves…» Car, je l'avoue, je ne l'avais pas lu ligne à ligne, ce livre, je l'avais lu comme on cherche un trésor dans une forêt, aux aguets, attentive au moindre signe de reconnaissance. Ce poème avait été écrit à l'approche de la cinquantaine, ce détail avait également compté dans mon choix – car c'était à peu près le temps que nous avions, l'un et l'autre, passé sur cette terre… Protégés par la distance, nous nous sommes donc lancés, tête baissée, dans une aventure inédite, qui consistait à élire pour demeure cet improbable espace entre le mot et le geste. Je n'avais pas encore trouvé, alors, le nom de notre dieu. Une intuition me soufflait seulement de préférer – pour l'heure – cette forme d'engagement, car c'en était un, à l'évidence.

J'avais, de mon côté, honoré ma parole et dès le lendemain de ce premier dîner, m'étais enfin rendue sur la tombe de Baudelaire – vous ne vous étiez pas trompé : le poète était bien coincé entre mère et beau-père. J'enregistrai la preuve dans mon Nikon hors d'âge – si impatiente de vous la transmettre que je complétai sur place le rouleau de ma pellicule en photographiant l'or de l'automne sur les arbres du cimetière. Ainsi, déjà, dès le lendemain même, l'emploi de mes jours se trouvait modifié par notre relation… Mais je doute d'en avoir été consciente alors, ce détour imprévu par le cimetière en ce seizième jour du mois d'octobre (j'ai retrouvé la photo de la tombe sur laquelle s'affiche la date du cliché) je le vivais plutôt comme une négligence réparée grâce à vous, et je vous en étais reconnaissante. Ce qui se modifiait, imperceptiblement, ce n'était pas tant l'emploi des heures, mais les lectures (je l'ai dit), les promenades : l'œil, l'oreille, et l'esprit – surtout lui – s'aiguisaient, s'attardaient sur une lumière, un chant, une pensée, une découverte, susceptibles de vous intéresser et de faire l'objet d'un envoi. Je thésaurisais. Au cas où. Sans impatience.

Le train traverse maintenant la Sologne. Les arbres ne sont déjà plus noirs, les jeunes pousses ont rougi leurs cimes. Cela fait des années que j'ai envie de m'enfoncer dans cette forêt, je rêve de ses étangs invisibles – où sont-ils, ces trois mille étangs ? je rêve de chemins bordés de brande, de nuages se reflétant dans l'eau, de longues marches, de temps perdu. Mais peut-être avez-vous horreur du calme des étangs… Voici que je me heurte, une fois encore, à tout ce que j'ignore de vos plus secrètes préférences. Ce que je sais, pourtant, c'est votre envie de « boire la France », l'expression vous avait enchanté lorsque vous l'aviez trouvée sous la plume de Henry Miller… Mais quelle France ? « L'imaginaire déchoit ou se renforce-t-il quand on le confronte au réel ? » Remonte à ma mémoire cette réflexion de Segalen qui me réveille chaque fois que le désir me saisit d'entreprendre un voyage vers un pays, une ville ou un nom sur lesquels j'ai trop longtemps rêvé. J'ignore de quelle nature est l'intuition qui fait pencher parfois la balance du côté de la déception programmée – me faisant renoncer par avance à l'épreuve de la confrontation. C'est sans doute la raison pour laquelle je n'ai jamais eu le courage d'aller voir Zanzibar ou de pousser jusqu'à Valparaiso… La « balance », je m'en aperçois, est décidément un attribut essentiel à notre cher *Kairos*. Elle est, en cette minute, en parfait équilibre : aucun poids ne pourrait la faire pencher du côté des semelles de plomb… Au fait, à propos de vitesse et de semelles de vent, j'ai appris qu'à l'entrée du stade d'Olympie, au temps de sa splendeur, se dressaient deux autels, l'un dédié à Hermès Enagonios, le seigneur des concours, et l'autre à *Kairos*… Partir à point, déjà, *rien ne sert de courir*… Nous avons, à la lettre, appliqué la morale de la fable, n'est-ce pas ?

En relisant vos lettres hier soir, j'ai pris conscience que la photo m'a souvent servi de tremplin (d'alibi?) au dévoilement de cette vie plus souterraine qui constituait la matière même de nos échanges. Ainsi, suivant de près la tombe de Baudelaire, je vous avais adressé, semble-t-il (je n'ai jamais, vous vous en doutez, conservé le moindre double de mes lettres, mais vos commentaires, le plus souvent précis, m'ont permis, à une exception près, de retrouver les photos en question), l'image d'un arbre se reflétant dans l'eau frémissante d'un ruisseau. Vous avais-je précisé, alors, que le ruisseau en question s'appelait le Céou, que ce «c'est où?» amusait beaucoup mes oreilles d'enfant, qu'il s'agissait d'un affluent de la Dordogne dont les eaux claires et glacées regorgeaient d'écrevisses en été et que j'aimais, par-dessus toute pêche, la pêche aux écrevisses?... Sans doute pas. L'un et l'autre, et d'un tacite accord, retenions ce genre de confidences biographiques qui risquaient de nous éloigner du *rêve* de Neruda... Il s'en échappait parfois, malgré nous, de ces petits détails précieux qui permettaient peu à peu de composer le tableau: j'appris ainsi au détour d'une phrase que vous aviez grandi entre un frère et une sœur nés onze mois avant et après votre venue au monde. Étaient-ils les seuls? vous ne le précisiez pas, mais cela m'avait suffi pour opposer votre expérience intime de la fratrie à ma vie de fille unique avide d'amitié… Or voilà que depuis le début de cette lettre (vous en êtes-vous aperçu?) je ne cesse de vous livrer sans honte, et même avec empressement, d'insignifiantes miettes de mon enfance, comme si je ne doutais plus que celle-ci pût vous intéresser et que vous ayez hâte, tout autant que moi, que nous remontions le fil de nos vies jusqu'à leur premier cri… Mais revenons à l'eau transparente du ruisseau: «sensation de fraîcheur et attrait du vertige», telles avaient été vos remarques sur ma photo et je me suis demandé, hier soir, en la regardant à nouveau, ce qui m'avait, moi, poussée à la choisir – et je ne trouve pas, si ce n'est, peut-être, le désir secret que vous soyez celui qui m'aiderait à m'éclairer sur moi-même…

Ainsi donc commença pour nous deux l'avant-dernière année du siècle, sur fond de fraîcheur et de vertige. Cette année-là fut (pour vous surtout) la plus voyageuse – voyages qui, de toute évidence, dictaient sans risque le rythme des échanges. Séparés l'un de l'autre, souvent par la distance d'un océan, les corps avaient une bonne raison de ne pas pouvoir se rejoindre. *Kairos* dormait sagement dans les limbes, hors de portée… Et l'image qui résume peut-être le mieux le lieu où nous avons vécu au cours de ces longs mois, c'est vous qui me l'avez envoyée (il était rare que vos lettres soient accompagnées de photos, et celles-ci me touchaient d'autant plus qu'elles semblaient prises avec un appareil jetable, sans le moindre souci artistique, avec cette qualité médiocre de tirage qui les rend plus émouvantes, comme si leur absence même de recherche en accentuait la force d'*instantané*) – bref, votre photo représentait une mer de nuages vue d'avion et je ne saurai jamais (et vous non plus, sans doute) avec exactitude au-dessus de quelle mer, de quel désert, de quelle ville, vous vous trouviez à la seconde où vous avez appuyé sur le déclencheur… Quelque part entre Paris et Calcutta, un jour de février. Car il y eut beaucoup de nuages, cette année-là, vus d'en haut et d'en bas – de l'Inde au Sud de l'Amérique, et de l'Espagne à la Grèce en passant par Londres et l'Italie – il m'est facile, me direz-vous, de tracer aujourd'hui les lignes qui rejoignent les petites croix jaunes et violettes sur ma carte du monde et de leur attribuer quelque sens… En vérité, le plus souvent, ce n'est qu'au retour de vos voyages que j'apprenais que votre corps s'était promené aussi loin, et je faisais semblant de me contenter de cette nouvelle pour expliquer un silence plus long que de coutume. En employant cette expression, «de coutume», j'ai bien conscience de me contredire, tant il est vrai, je l'ai dit, que le propre de nos échanges était leur irrégularité, mais il n'empêche (du moins pour moi) qu'il y avait toujours un moment, quand le silence se prolongeait, où une voix me murmurait que l'heure était venue de recevoir un signe, et c'est cette voix intérieure que je traduis un peu improprement par ce «de coutume» trop familier. Cette impatience (car c'en était une forme), cette sensation d'un «il est temps», n'avait, elle non plus, rien de régulier, elle variait avec les saisons et ce que je pouvais imaginer de l'emploi de vos journées – ainsi, les «vacances» des écoliers en bouleversaient immanquablement le rythme, de même que mes propres déplacements. Pour être tout à fait sincère, ce que je cherche à exprimer dans ce long développement sur le mystère de la patience et de la durée, c'est tout simplement qu'il y eut certains jours où le vide de ma boîte aux lettres me laissait croire à la rupture du lien et que cette éventualité me plongeait dans une réelle tristesse, je me l'avoue (et vous l'avoue) – aujourd'hui. Tristesse inexplicable, me forçais-je alors à penser, puisque cette absence de lettre ne bouleversait en rien – du moins en apparence – le cours de ma vie et de mes affections. Cependant, jamais le silence ne s'est prolongé assez longtemps pour que je sache si, prétextant l'excuse d'un courrier égaré, j'aurais eu la faiblesse, ou plutôt le courage, de relancer la correspondance, au risque d'une déception plus grande encore…

En effet, toujours en équilibre sur sa roue, *Kairos* se plaisait à jouer avec nos émotions, nous rattrapant chaque fois au vol, avant la chute… Si je vous parle de cette roue, c'est que je viens de découvrir un délicieux petit livre rassemblant les *Épigrammes* d'Ausone. Ausone – Decimus Magnus Ausonius (le connaissez-vous?) – était un poète gallo-romain, né à Bordeaux (détail qui touche au plus profond l'amoureuse de Montaigne que je suis) au IVe siècle de notre ère et qui me serait sans doute demeuré inconnu si je n'avais trouvé son nom accolé à celui de *Kairos* – ou plutôt d'*Occasio* – dans une thèse aussi longue qu'exhaustive sur les œuvres que notre dieu a inspirées aux esprits obsédés par les mystères du Temps… Et voici son charmant dialogue : «Pourquoi te tiens-tu sur une petite roue?», demanda un jour un curieux se retrouvant face à la statue de «cette divinité rare». «C'est que je ne puis rester en place», répondit-elle. «Et pourquoi ces talonnières? — Je suis oiseau. Ce qu'il plaît à Mercure de favoriser, je le *retarde* à ma guise…»

Ainsi donc, pendant quatre ans, voici ce que nous fûmes à notre insu: des victimes consentantes du petit jeu (ou plutôt de la lutte) entre Mercure et

Occasio... Mais le dialogue ne s'arrête pas là, car l'Occasion n'est pas toute seule : elle est accompagnée par la statue du Repentir, celle qui punit les actes accomplis, aussi bien que les actes omis, « afin qu'on se repente d'avoir fait les uns et de n'avoir pas fait les autres ». Le curieux veut donc en savoir plus : « Dis-moi, maintenant : que fait-elle avec toi ? — Si parfois je m'envole, elle reste ; ceux à qui j'ai échappé la retiennent. Toi-même, qui nous questionnes, tandis que tu perds ton temps à m'interroger, tu diras que je t'ai glissé entre les mains. »

Entre nos mains, aujourd'hui, c'est bien la chevelure de *Kairos* que nous nous apprêtons à empoigner et je ne vois à ses côtés pas l'ombre d'une repentance...

Face à Mercure, *Kairos* a baissé les bras, si j'ose dire, et nous avons tendu les nôtres. Il me plaît qu'Ausone qualifie de « rare » ce demi-dieu et je me félicite, ici même, dans l'exaltation de l'instant, de m'être aussi docilement soumise à ses moindres caprices... Il y eut un jour, pourtant, il y a deux mois, vous ne pouvez l'avoir oublié, où *Kairos* a failli s'envoler et ce jour-là, j'en suis persuadée, « Repentance » était à ses côtés, prête à empoisonner mon cœur.

C'était un mardi de janvier, je me souviens, j'avais appris par le journal qu'un de mes écrivains italiens préférés était l'hôte du Collège de France et qu'il donnait, en fin d'après-midi, un cours sur les écrivains de Trieste. Vous connaissiez mon intérêt pour cette ville sans patrie où j'avais séjourné quelque temps avec les fantômes de Joyce, Svevo, Morand et, peut-être surtout, celui de ce fameux Roberto Bazlen, l'écrivain sans œuvre, qui figurait parmi les Bartleby élus par Vila-Matas dans ce livre que vous ne m'aviez *pas* encore offert… Vous voyez comme la vie, toujours, a su semer ses cailloux sur notre piste… Mais revenons à ce fameux mardi. Je faillis, dans un premier élan (nous étions passés depuis déjà plusieurs mois à l'échange électronique), vous faire part de mon intention de m'y rendre, mais je me ravisai très vite – ne verriez-vous pas (et avec raison) dans cette initiative une demande déguisée de rendez-vous? Et je m'interrogeai: pourquoi cette hésitation, en quoi cela me gênait-il puisque j'en brûlais d'envie? Orgueil? Assurément pas. Peur, plutôt. Non de l'échec, mais de la réussite. C'est pourquoi, une fois encore, je me refusai à un geste qui pût influencer votre désir. Après tout, la manifestation était publique et avait été annoncée dans un quotidien dont vous ne ratiez jamais la lecture. « Trieste » pouvait être un mot de passe assez transparent, pour qui avait les oreilles fines… J'en devins même à ce point convaincue que ce fut à mon tour d'hésiter à m'y rendre: nous rencontrer, là-bas, sans rendez-vous, scellerait l'engagement définitif.

Je le savais. *Occasio* et *Repentance* me narguaient, à égalité. Laquelle laisserais-je s'envoler ? Contre toute raison, je choisis de prendre ma voiture pour me rendre au cœur de Paris. J'avais l'impression que seul ce mode de déplacement me garantissait jusqu'au bout la liberté de rebrousser chemin. Je choisis même, pour compliquer la tâche – et surtout, avouons tout, pour me trouver ainsi une bonne excuse de renoncer au dernier moment –, d'emprunter un itinéraire inhabituel où la multiplication des sens uniques me fit arriver avec plus d'un quart d'heure de retard. Prise soudain d'une étrange assurance, je décidai pourtant d'entrer. Je savais qu'en cas de salle pleine, le cours était retransmis sur écran : mon arrivée intempestive ne dérangerait pas les auditeurs et pourrait presque passer inaperçue. Je me faufilai donc au dernier rang. Peut-être étiez-vous dans l'autre salle, me disais-je, me demandant déjà s'il serait judicieux de vous attendre à la sortie – attente qui serait la preuve irréfutable que j'avais bien espéré vous trouver en ce lieu, avouant ainsi le trouble de mes intentions et de mon désir.

J'en étais là de mes réflexions lorsque vous êtes apparu : vous avez surgi presque en courant, vous étiez en retard, vous le saviez, et vous aviez d'autant moins peur de tomber sur moi que vous aussi m'imaginiez dans l'autre salle. Je sais aujourd'hui que *Kairos*, le vrai, celui sculpté par Lysippe, tout bronze qu'il était, avait les «joues colorées d'un incarnat semblable à la rose», et c'est ainsi que je décrirais l'afflux de sang qui vint rougir votre visage (et peut-être le mien, vous ne me l'avez jamais dit). Un simple échange de regards avait suffi pour que nous sachions que nous n'avions plus rien à faire en ce lieu. La *chance* avait tranché. Je vous ai suivi dans les couloirs, jusqu'à la sortie. Il faisait nuit depuis longtemps, en cette saison. Nous avons marché, sans parler, en direction du café le plus proche, passant devant la statue de Montaigne (cette même statue où je vous fixerais, quelques semaines plus tard, ce rendez-vous hasardeux que vous déclineriez sagement) ; là, vous avez ralenti et, sans vous arrêter, vous avez rompu le silence pour me dire que vous n'aviez jamais trouvé la source de l'éloge de Paris qui figure sur son socle... J'ai bafouillé, j'étais si loin, osant à peine avouer que je n'avais jamais lu les mots gravés au pied du grand homme, je pensais à votre question sur la tombe de Baudelaire, le premier soir, c'était étrange, ces monuments qui nous servaient de bouée chaque fois que nous étions prêts à plonger et qui, chaque fois, révélaient mon ignorance de la ville où j'habitais. Mais, déjà, vous ouvriez la porte du café et grimpiez au premier étage sans même vous retourner pour me demander mon avis : il était presque vide et nous nous sommes installés dans un angle. Et puis plus rien, plus rien si ce n'est l'image de nos mains sur la table qui n'osaient se toucher, nous parlions pour ne pas les voir, des mots qui se bousculaient pour rattraper le temps perdu, tout dire, vite, dans le désordre, l'autrefois et le maintenant. Dire ce que les lettres avaient tu, le cours des jours, le travail, et l'histoire de l'amour dans nos vies. C'est ce jour-là que j'aurais pu prendre les devants et être la première à vous dire « nous avons tout le temps devant nous », mais vous vous êtes soudain levé, vous étiez pressé, moi aussi, car si nous avions pris le risque de nous rendre au Collège de France dans l'espoir évident de nous y rencontrer, nous avions également pris nos précautions, l'un et l'autre, et programmé d'autres obligations. Une prudence qui, loin de m'inquiéter, me rapprochait de vous, de nous. *Repentance* avait perdu la partie, c'est elle qui s'était envolée, *Occasion* demeurait seule sur sa roue, à portée de nos mains. Nous avions retenu la main, le regard, les lèvres – pourquoi ? Pourquoi nos volontés s'unissaient-elles pour *retarder* encore cet instant ? Au rythme mystérieux des lettres succéderait celui des rencontres, tout aussi énigmatique.

Deux mois, presque jour pour jour. L'avez-vous trouvé long, ce temps? Vous me le direz peut-être ce soir, enfin. Le train vient de dépasser la gare de Vierzon, où il ne s'est pas arrêté. Est-ce là que vous avez dormi? Vierzon. Inimaginable Vierzon qui, depuis plus de trente ans, se limite pour moi à sa gare, et pas même à sa gare, dirais-je, à ses quais, et même aux lettres bleues de son nom sur ses quais. À chaque minute qui passe, je vous bénis davantage d'avoir insisté pour que nous ne fassions pas ensemble ce trajet en voiture jusqu'à la maison qui nous attend. Je bénis cette opportunité de mettre en mots l'étrangeté de ce rendez-vous sans cesse différé. Alors pourquoi, soudain, cette crainte en pleine exaltation, pourquoi ce doute? Une douleur brutale, un chavirement du cœur, le même que celui qui m'a poussée à vous écrire hier soir: «Surtout, soyez prudent.» Mort interdite. Et si la mort à redouter n'était pas celle de l'accident, mais tout simplement le recul, si *Kairos* était en train de nous jouer un de ses derniers tours? Si, hier soir, à l'issue de votre dîner, au lieu de prendre la direction de l'autoroute comme nous en avons convenu, vous aviez été incapable de saisir sa belle chevelure et repris sagement le chemin de votre foyer? Chassons cette ombre au plus vite, ce poison, avant qu'il ne pénètre dans le sang, qu'il n'en modifie la composition si parfaite. Fermer les yeux. Laisser remonter les phrases, j'ai trop lu peut-être hier soir, trop de phrases, trop de temps comprimé. «Je vous attends déjà dans la gare», je ne l'ai pas rêvé, vous les avez écrits, ces mots, mais quand? il y a huit jours? trois jours? je ne sais plus, mais ils me réchauffent. Tous les mots écrits me réchauffent. Ceux des lettres, ceux des livres. Les mêmes. Souvenez-vous, *Zarathoustra, le convalescent*: «Comme il est charmant que les mots et les sons existent!»

Et voici l'ombre qui s'enfuit aussi vite qu'elle est venue, à tire d'aile, *tout esprit doit se changer en oiseau...* Si souvent, les mots des livres nous ont soufflé les nôtres...

Nous nous sommes quittés trop vite devant ce café dont je n'ai jamais su le nom. Je vous ai suivi des yeux, de dos, jusqu'à ce que vous disparaissiez à l'angle du boulevard Saint-Michel. Puis je suis allée sans hésiter combler ma lacune, lire cet éloge de l'homme de Guyenne à la grande cité que nous avons élue par delà les mers et les océans: *Paris a mon cœur dès mon enfance... Je ne suis français que par cette grande cité.* Depuis quand Paris a-t-il votre cœur? C'était la deuxième fois que vous me forciez à réparer mon ignorance de la ville que je prétends aimer. Il y en aurait très vite une troisième, vous en souvenez-vous ? Ce jour où vous m'avez donné rendez-vous, il y a un mois, devant la statue de Flaubert dans le Jardin du Luxembourg, ce jeudi après-midi où nous avions décidé d'aller voir ce film nouveau qui se déroulait à Trieste. Le film était une enquête sur la vie de Roberto Bazlen dont le fantôme semblait nous poursuivre, vous aviez même pris la peine de recopier dans votre message une phrase du livre de Vila-Matas que vous m'aviez offert quelques jours plus tôt : « La plupart des livres, écrivait Bazlen, ne sont guère que des notes en bas de page gonflées jusqu'à en faire des volumes. C'est pourquoi je n'écris que des notes en bas de page. » La coïncidence était irrésistible. Mais ce qui m'avait le plus touchée dans votre proposition, c'était que vous teniez à ce que nous choisissions une séance en plein après-midi. « À une heure qui permet de sortir sous le soleil de la ville », aviez-vous précisé. Vous n'aviez donc pas oublié cette conversation que nous avions eue, deux ans plus tôt (lors de cet unique dîner où nous nous étions revus), vous n'aviez pas oublié ma préférence pour les « matinées » au cinéma. Cet amour remonte à l'enfance, aux séances qui rythmaient mes jeudis dans les cinémas d'Alger. J'avais dix ans et le droit d'accompagner mes trois amies un peu plus « grandes » dans les salles du centre de la ville. Nous habitions sur les hauteurs, un quartier de petites villas avec jardins. Après le repas, il s'agissait de dévaler les escaliers le plus vite possible, des centaines de marches d'escaliers, afin de ne pas rater la séance de quatorze heures. C'est là, sans doute, dans cette course éperdue vers le Versailles, le Debussy, l'Hollywood ou le Majestic, que j'ai connu mes premiers frissons de liberté. C'était bien plus que la liberté, c'était l'anticipation du bonheur. Car le bonheur ne commençait qu'à la seconde où les lumières s'éteignaient, il commençait avec le noir. Le noir permettait d'être une autre, je n'étais plus celle qu'on attendait que je sois, j'étais seule, j'étais l'autre, inconnue, celle qui avait un destin, comme dans les films, celle que je serais «plus tard», ce mystérieux «plus tard»…

C'est dire si je fus touchée par votre proposition. «Retrouvons-nous devant le buste de Flaubert», aviez-vous proposé. À cause de vous (ou plutôt grâce à vous) j'ai dû acheter un guide dans cette boutique spécialisée, juste en face du Sénat, un guide de ce Jardin du Luxembourg que j'avais pourtant traversé tant de fois. J'espère que cela vous fera rire. Avouer pour la troisième fois mon ignorance m'aurait mise au comble du malaise… À ma décharge, je découvris que la statue se trouvait le long d'une grille, du côté de l'École des Mines, dans une allée où mes promenades ne m'avaient jamais entraînée. Je suis arrivée en avance au rendez-vous. Je redoutais une erreur possible de mon guide et m'imaginais déjà perdue dans le dédale des inscriptions, mais il était bien là : Flaubert, non loin de Stendhal et de George Sand, buste dressé entre deux platanes. Sans doute saviez-vous qu'un étroit banc de pierre servait de socle à la statue. Je m'y suis assise en vous attendant, rêvant d'une vie idéale où s'enchaîneraient les rencontres à l'ombre des grands hommes, dans d'autres villes, d'autres pays… Le ciel, ce jour-là, avait juste ce qu'il fallait de gris pour ne pas regretter de s'enfermer dans la salle obscure. Il y avait peu de spectateurs dans ce petit cinéma du quartier latin, l'heure n'était pas favorable et le film plutôt confidentiel. On y suivait les pas d'une jeune femme qui enquêtait sur le célèbre écrivain sans œuvre. Bazlen avait pris le nom de Vohler, mais avait conservé son prénom, Roberto, ou plutôt Bobi. À Trieste personne ne l'appelait Roberto, Bazlen était Bobi, simplement Bobi. Dans le noir, vous m'avez passé la main dans les cheveux, fugitivement, tandis que se déroulait le générique. Pour la deuxième fois, je sentais la pression de vos doigts. C'est à quinze ans que l'on compte ce genre de choses, d'habitude. Vous m'offriez sans le savoir l'amour adolescent que je n'avais pas eu. La troisième sensation que je conserve encore sur mes lèvres est celle du picotement de votre joue lorsque je l'ai effleurée en vous quittant devant la bibliothèque, le jour de la serre tropicale. Quand nous sommes ressortis du cinéma, en plein jour, le ciel avait encore la même pâleur grise. Nous avions tous deux retenu cette phrase prononcée par un ami de Bobi : « S'amuser à vivre n'est pas la même chose qu'être heureux de vivre », avait-il murmuré dans un demi-sourire, alors qu'il tentait d'expliquer ce mélange de tristesse et de goût immodéré pour la vie qui caractérisait son ami. Du film lui-même, nous n'avons pas parlé, comme si seul nous importait ce qui pouvait se rattacher à notre histoire. J'avais pourtant été heureuse de retrouver Trieste, de reconnaître les rues, les cafés, la gare, et surtout la mer, le port sans navires, l'immense place de l'Unité donnant sur le môle, le môle de l'Audace – *Audace* était je crois le nom d'un torpilleur italien –, et le petit pont au-dessus du canal où se balançaient quelques bateaux de plaisance au centre de la ville. Il m'avait même semblé reconnaître au loin la colline où se dresse le château de Duino, mais je me suis tue. Le soir même, j'avais ouvert les *Élégies* de Rilke, avec l'espoir d'y reconnaître un vers à nous seuls destiné, un poème qui imprimerait de son éternité cette coïncidence entre les images partagées dans notre premier cinéma et le lien qui se tissait chaque jour davantage. Et je l'avais trouvé, ce poème, vous vous en souvenez sans doute (vous avez, des textes lus ou appris, bien meilleure mémoire que moi, je l'ai remarqué), quatre vers extraits de la *Cinquième Élégie*, quatre vers que je suis d'ailleurs bien incapable de vous citer ici avec précision, je sais seulement que des amants y trouvaient *place* «sur un indicible tapis», où ils parvenaient à décrire les «grandes figures audacieuses du salto de leur cœur»… En vérité, peut-être les avez-vous oubliés, ces vers, j'ai constaté hier soir, en relisant notre correspondance électronique, que vous ne m'en aviez jamais accusé «réception», mais la fréquence redoublée de nos échanges à cette période avait sans doute empêché que je me sente troublée par votre silence. Déjà se dessinait le projet de notre échappée: le temps des confidences sans risque et le temps de l'attente avaient pris de facto une tout autre mesure. Voici donc une raison supplémentaire de profiter de l'occasion qui m'est offerte de revenir sur les méandres secrets décrits par les cours de nos vies en quatre ans et de vous faire part des découvertes que m'a values cette plongée dans votre prose…

Tout d'abord, imaginez mon bureau : à côté de la carte du monde, sur mon mur, j'ai épinglé les cartes postales que vous m'avez adressées. Onze, au total. Plus quatre photos. C'est peu. La première, je ne pense pas que vous l'ayez encore en mémoire, représentait une nature morte de Zurbarán, *Le Déjeuner de chocolat*, un alignement de récipients et d'ustensiles posés sur une lourde table à peine éclairée, parmi lesquels on devine un moulin à cacao en cuivre. Je ne crois pas que vous vous souveniez davantage de votre commentaire, qui prend un sens tout différent depuis que nous sommes à même de compter les mille cinq cents jours, ou peu s'en faut, qui se sont écoulés avant que *Kairos* ne nous prenne sous sa protection : «Quelque chose m'attire dans cette carte, écriviez-vous, l'abolition du temps, peut-être.» Avais-je, à l'époque, établi un rapprochement entre votre choix de m'adresser la biographie du Voyageur immobile et ces quelques mots qui exprimaient à nouveau votre (notre?) désir fou d'échapper à la durée? «La vie va trop vite pour moi», ajoutiez-vous; il est vrai que vous reveniez de votre périple indien dont vous ne m'aviez fait partager que les nuages vus du ciel… autre manière détournée de désigner notre demeure. Sur vos rencontres avec les vivants, là-bas, vous restiez très discret, vous vous contentiez d'évoquer la plus incongrue, celle d'un banquier lecteur de Nietzsche, dont vous me promettiez le portrait. Et moi, où étais-je à cette heure ? La consultation d'un agenda qui, par bonheur, n'a pas été jeté (car il y a bien longtemps que je ne tiens plus de *journal*, pas même « de voyage », avec l'illusion que les photographies seront des béquilles suffisantes à ma mémoire) m'a permis de certifier que je me trouvais à Rome en ce mois de février, l'Italie, donc, encore une fois, la ville familière, consolante, toujours à portée de train lorsqu'un nuage passe au-dessus de la vie, sauter dans le *Palatino* et se réveiller dans l'éblouissement ocre des *campos* et des *piazzas*… De Rome, je ne vous avais pas écrit, je le sais, peut-être parce que je n'y étais pas seule, mais surtout parce que n'avait jamais compté, entre nous, la simultanéité des expériences. Nous n'étions pas encore victimes de ce besoin si propre aux amants séparés de savoir où se trouve l'autre au même instant, de ce bonheur de l'imaginer, non, nous tirions au contraire notre plaisir de la lecture du récit de nos vies « en différé ». Et ce léger décalage dans le temps, ce passage des événements par le tamis du choix et de la mémoire nous faisait dériver délicieusement vers la littérature. C'est peut-être à cela que nous n'osions pas renoncer, à ce plaisir de nous offrir le roman de nos existences recomposées… Qu'en dites-vous ?

Comme c'est bon, aujourd'hui, ici, maintenant, de pouvoir vous poser cette question, de savoir qu'il n'est pas exclu que dès ce soir vous y répondiez, à celle-ci et à tellement d'autres, à moins que, saturés de présent, nous ne soyons divinement frappés de mutisme.

Mais revenons à Rome, à mon ombre soudain projetée sur le campo dei Fiori (j'avais trouvé refuge, cette année-là, dans un petit hôtel sans ascenseur dont la terrasse dominait toute la gaieté du marché matinal autour du bûcher de Giordano Bruno), tandis que vous vous perdiez peut-être dans le dédale de Calcutta : vous arrive-t-il, comme à moi, d'être saisi par cette certitude que nous ne sommes guère autre chose que de miraculeux corps vivants qui s'agitent sur un point du globe à un certain moment du temps ? C'est pourquoi prendre la route a toujours été pour moi une manière grisante et illusoire de « m'assurer de mon existence », en quelque sorte… Et je me demande si cette griserie provoquée par le déplacement dans l'espace ne naît pas, là encore, de la sensation d'une autre forme d'abolition du temps ? Que de détours pour en revenir à notre obsession commune…

Je crois que je vous étonnerais en vous rappelant la fréquence de vos allers-retours cette année-là : près d'une dizaine de croix jaunes sur ma carte du monde, et des lignes qui zigzaguent à travers l'Europe, avant de s'allonger pour atteindre, en été, le pays de l'enfance. Loin de briser le lien, l'éloignement semblait au contraire favoriser la correspondance – du moins en apparence. L'ailleurs offre aussi bien le prétexte d'un signe que l'excuse de ne pas écrire plus longuement… Il n'empêche, le jeu se poursuivait et l'autorisation que nous nous accordions de redessiner nos boucles sur le globe nourrissait le lien plus profondément que nous ne voulions bien le reconnaître. Et si nos déplacements motivaient l'envoi d'une lettre ou d'une carte, jamais nous n'en faisions le récit, préférant reprendre le fil là où nous l'avions laissé, sur la lecture d'un auteur ou l'envoi d'une citation. Nous hésitions, à l'évidence, à faire part de nos enthousiasmes, à évoquer nos chavirements devant la beauté d'un paysage, nous limitions la vertu du voyage à la parenthèse qu'il représentait dans le cours habituel de nos vies et à l'occasion qu'il offrait d'une échappée de ce quotidien que nous avions choisi de taire.

« Je ne sais pas comment être concret avec vous », m'écriviez-vous cet été-là au dos d'une image représentant une danse traditionnelle des Andes photographiée en 1934, simple trace de votre passage à trois mille mètres d'altitude envoyée comme une bouteille à la mer, avec l'espoir qu'un jour, peut-être, le sens de ces petits cailloux semés le long de nos chemins saurait se dégager de lui-même. « Il ne fait ni chaud ni froid, ici, poursuiviez-vous, il fait haut. » J'avais aimé cet « il fait haut », si loin de l'île des Cyclades où j'avais passé mon été, celui de l'avant-dernière année du siècle. Étais-je plus *concrète* en choisissant de vous en adresser, au retour, une image par moi-même composée ? Sifnos était la vingt-cinquième île que j'avais élue en mer Égée. Chaque année, c'était la même chose : en arrivant sur le port du Pirée, l'appel d'une ultime découverte l'emportait sur la nostalgie de ce petit café au bord de l'eau, de cette plage bordée de tamaris, de cette terrasse dominant la jetée dont j'avais cru faire, l'automne précédent, mon dernier paradis. Nous étions déjà en septembre, l'île s'était vidée et nous n'avions eu aucun mal à louer le rez-de-chaussée d'une maison dont la petite cour fleurie donnait sur la plus haute place du village. Ξορα. Sur toutes les îles, *Kora* c'est la ville-mère, blancheur perchée au sommet de la colline, à l'ombre du ciel ou du fort vénitien, labyrinthe de ruelles s'ouvrant parfois sur une πλατια, une place élue par le καφενιο, quelques tables dressées sous des platanes surgis d'un rêve ou d'une source miraculeuse. Mais cette place-là, celle où se trouvait la maison, tout en haut du bourg, était vide et nue, son ampleur vous saisissait par surprise quand on gravissait la dernière marche de l'escalier qui la reliait à la vie du village (vie qui se bornait à une épicerie-café et à deux minuscules restaurants). Place inaccessible aux moteurs, cour du miracle, bonheur d'un chien noir et de quelques chats affamés. Les passants la traversaient furtivement avant de s'enfoncer dans un passage couvert bâti entre deux maisons. Qu'allaient-ils chercher de l'autre côté? Y retrouvait-on la mer? J'ai suivi deux enfants qui couraient à toutes jambes vers ce sombre goulet. Ce fut l'éblouissement: l'infini de la mer, en effet, vu d'un chemin de ronde qui surplombait le vide. Île devenue navire. C'était donc là que le soleil disparaissait chaque jour. Les pierres du parapet conservaient encore leur tiédeur au crépuscule. Chaque soir, j'assistais au spectacle, assise en tailleur sur le mur – le lent passage du bleu à l'or rouge dans le ciel, et à ce vert indéfinissable lorsque la terre avale le disque. Au matin, c'était un autre bonheur, celui d'installer ma petite table à l'ombre de l'unique figuier, entre hibiscus et géraniums sauvages, dans l'enchantement d'une lumière silencieuse. *Midi et Éternité.*

J'étais bien incapable alors, moi aussi, d'être «concrète» avec vous, de vous raconter, simplement, ce que je vous raconte aujourd'hui. Et parmi les dizaines de photos que j'avais conservées du lieu, j'avais instinctivement choisi la plus abstraite, le plus insituable dans l'espace et dans le temps. C'est votre commentaire qui m'a mise sur la voie, vous mentionnez dans votre lettre «l'ombre fuyante d'une campanule» sur une chaise en plastique et j'ai aussitôt retrouvé le cliché. Ainsi, je n'avais même pas été capable de vous préciser qu'il s'agissait d'un lys de mer, de ces lys qui poussent dans le sable, là-bas, à la fin de l'été, roses ou blancs. Celui-ci était rose, mais vous ne pouviez le deviner puisque l'ombre seule se découpait sur le plastique blanc, ombre double qui invitait à des rêves de lumière. Seulement de lumière – je n'avais pas voulu, ou pu, vous faire partager davantage. Vous vous étiez donc contenté de la chaise, de sa présence «sensuelle», disiez-vous, c'était peu, en effet, pourquoi avais-je été si avare, moi qui de mon côté traquais également dans vos envois les moindres sensations et les moindres détails susceptibles de m'éclairer sur votre aujourd'hui et sur votre autrefois?

Fallait-il, pour oser vous parler de ce bonheur des îles, avoir conservé le goût de votre peau sur mes lèvres, lorsque j'ai effleuré votre joue devant la bibliothèque? Fallait-il avoir adoré ce sourire dans votre regard à l'instant où vous m'avez dit «nous

avons tout le temps devant nous» ? Sans doute…
Je ne sais plus sous quelle plume de philosophe j'ai
relevé ce sage conseil : «L'occasion est une grâce
qu'il faut parfois aider sournoisement.» Le subtil
dosage de nos échanges relevait-il de la sournoiserie ?
Ou obéissait-il, plus banalement, aux circonstances
du moment ? Au retour de votre été au pays de
l'enfance, vous m'aviez envoyé une photo de *votre*
océan : l'eau, que l'on devinait méchante, se brisait
sur de hautes falaises brunes. Il était impossible de
savoir si l'image avait été prise du rivage ou d'un
bateau. En m'offrant cet «instantané» sans préten-
tion artistique, vous aviez été bien plus concret que
moi et, en quelque sorte, moins sournois… J'aurais
aimé pourtant vous demander alors si l'image
obtenue correspondait vraiment à votre attente :
le cadrage me semblait relever du seul hasard et
de l'ouverture du diaphragme. Je l'avais regardée
longuement en essayant d'imaginer le paysage hors
du cadre, tel qu'il devait se présenter à vous, d'imaginer l'immensité de l'horizon, la puissance des
éléments, la lumière particulière, bref tout ce qui
avait pu vous décider à appuyer sur le déclencheur
à cet instant précis et qui n'apparaissait pas ici. La
photo était accompagnée d'un petit mot qui ne
pouvait que m'intriguer davantage : «Rien à faire :
alors que je viens de passer si longtemps dans la

montagne, c'est une image du Pacifique qui s'avance pour vous saluer. » Exprimiez-vous par cette contradiction votre impuissance à m'offrir une illustration plus évocatrice de vos «vacances», un tableau qui m'aurait permis de mieux imaginer la réalité de vos journées? Votre offrande, vous l'aviez voulue affranchie de toute contingence de temps et de circonstance. C'était somme toute assez logique et votre «rien à faire» était l'aveu de votre consentement ravi au tacite défi que nous nous étions lancé d'inventer une nouvelle mesure de nos jours. L'océan était le paysage qui avait accompagné votre enfance, ce qui rendait à mes yeux votre cadeau bien plus précieux. J'aurais aimé pouvoir situer avec exactitude sur un plan le rivage où vous vous trouviez: était-ce une plage familière? mais vous n'en donniez pas le nom ét je me suis contentée de l'épingler sur mon mur, au large de votre pays, sur le bleu vif de l'océan de ma carte du monde. De votre ville, et de ses plages, j'avais tenté de me faire une idée en lisant un roman de cet écrivain qui fait aujourd'hui la gloire de votre littérature: né à l'intérieur du pays quelque vingt années avant vous, il n'avait jamais oublié son premier contact avec la côte Pacifique, il décrivait ses paysages à perte de vue, «ces déserts blancs, gris, bleutés ou rougeâtres selon la position du soleil», avec ses plages solitaires, et puis l'ocre et le gris de la cordillère dont «les contreforts surgissaient et disparaissaient entre les dunes de sable». J'avais souligné toutes les descriptions dans son livre, afin de me représenter l'enfant qui avait grandi au bord de ces falaises, si loin de la douceur de «la Madrague», cette petite plage familiale où j'avais appris à nager dans une *mer d'huile.*

Une heure me sépare de vous. Je viens de regarder ma montre – soixante-dix minutes exactement. Je suis heureuse que ni l'un ni l'autre n'ait succombé à la tentation du téléphone. Heureuse aussi de constater qu'aucun nuage ne s'apprête à nous dérober la lumière – souvent, j'ai vu le ciel s'assombrir à l'approche du Massif central. Mais vous êtes peut-être déjà arrivé dans la ville où je descendrai de ce train. Pour la première fois je découvrirai cette gare célèbre dont je n'ai pu apercevoir jusqu'ici que le dôme de cuivre du campanile, je me suis même amusée à m'instruire sur son histoire : le premier voyageur y acheta son billet le 18 mai 1929 à six heures du matin. Vous souvenez-vous de ce bref message que je vous ai envoyé le jour où j'ai moi-même pris mon billet pour notre gare enfin désignée ? « Un étrange sentiment de paix m'envahit, comme si le cœur s'agrandissait. » « Paix » me semble faible aujourd'hui. Savez-vous quelle est l'âme *la plus vaste*, selon notre maître danseur ? « Celle qui, de joie, se jette dans le hasard. » Hasard ? Vraiment ?

ou « occasion » ? Je la saisis, sans *sournoiserie* aucune, je m'en empare avec délice, pas de déesse de la « repentance » à mes côtés… Il existe, ai-je appris, un bas-relief médiéval sur lequel apparaît *Kairos*, découvert sur l'île si douce de Torcello (je l'ignorais malheureusement l'année dernière, à l'heure où je vous écrivais de ma petite chambre de Venise…). Le jeune dieu n'y est pas seul : en équilibre sur sa roue ailée, il offre sa chevelure à un jeune homme, tandis que dans son dos un vieillard tente désespérément de le saisir par le bras sous l'œil affligé d'une figure féminine que je me plais à baptiser « regret », narguée par dame « clairvoyance » à l'autre extrémité de la scène… Ainsi les traces du dieu se multiplient autour de la *mer du milieu* au point de nourrir en moi un rêve de voyage insolite à leur poursuite. Que diriez-vous de m'y accompagner ?

Peut-être ce voyage vous aiderait-il à répondre à la question que je vous posais dans ma lettre jointe à la photographie de la chaise – j'avais soudain eu besoin de savoir quels rapports vous entreteniez avec la mer d'Ulysse : quels rivages aviez-vous abordés, quelles îles, quelles villes, quelles ruines ? Aviez-vous ressenti, vous aussi, cette douceur des soirées d'été dans les petits ports de Grèce ou d'Italie ? Bref, quelle était la place dans vos rêves, ou plutôt dans votre *rêverie*, de cette *mer intérieure* où Homère était né? La question vous avait troublé. Paris était le cœur que vous aviez choisi sur ce nouveau continent, le reste était périphérie. Et pourtant, en vous, les images avaient peu à peu refait surface, me permettant de vous imaginer dans les ruines d'Ostia, sur la promenade de Nietzsche à Nice, sur une plage de Catalogne, vous connaissiez aussi l'île d'Aphrodite où vous aviez marché sur les pas de saint Paul. Mais ce qui me toucha le plus c'est que vous vous soyez promené sur la corniche de Beyrouth : vous saviez donc à quoi ressemble la mer quand on la regarde du sud, quand la France se trouve sur l'autre rive, au nord, quand l'ouest est à gauche, quand le désert n'est pas loin, dans votre dos. Vous sembliez le premier surpris de ces réminiscences en vous : «Votre question met en évidence mes mauvais rapports avec les plaisirs simples», m'écriviez-vous. Votre trouble semblait réel, il expliquait peut-être, ajoutiez-vous, votre prédilection pour les déserts, pour ces étendues infinies où l'on se *laisse glisser*, je connaissais cette griserie de la route droite à perte de vue, je me souvenais de Death Valley, de mon départ au petit matin de Los Angeles un jour de septembre de la fin des années soixante-dix (où étiez-vous alors ? nous avons tant de jours à combler pour refaire le chemin à l'envers...), je voulais voir Zabriskie Point à cause du film d'Antonioni, c'était mon premier voyage à l'intérieur de ce nom qui avait nourri mes rêves d'adolescente : l'*Amérique*. Et j'avais roulé. Roulé. Dans le désert, il n'y a rien d'autre à faire. Rouler. Et avant même d'avoir atteint Zabriskie Point, j'avais compris que le but n'avait aucune importance, l'ivresse tenait au déplacement, à ce glissement dans l'espace inhabité, à ce vertige des kilomètres avalés à chaque minute sans que se modifie le paysage, à cette sensation décuplée de n'être que ce point sur le globe dont je vous parlais plus haut, mais un point ivre de l'exaltation d'être en vie. J'aurais été bien incapable, alors, d'opposer cet enivrement des grands espaces à l'indicible sérénité éprouvée certains soirs d'été sur l'une de ces plages où poussent les lys dont je vous ai envoyé l'ombre, à l'heure où la mer *s'en va avec le soleil*... Et pourquoi faudrait-il choisir ?

Un brutal ralentissement de la machine vient de m'extraire opportunément du dilemme... Le haut-parleur a diffusé le message convenu : « Ne pas ouvrir les portières. Le train est arrêté en pleine voie. » Dérèglement de la mécanique, aussitôt accompagné d'un léger frisson d'aventure. La « pleine voie » est une paisible campagne un peu bosselée, forêts trouées de pâturages, des verts encore hésitants, une sensation de pérennité, d'attente tranquille de la saison nouvelle, de consentement ravi à ce cycle immuable. La «pleine voie» vient de réconcilier Sifnos et Zabriskie Point, vos falaises noires et mes lys roses. Ces divagations entre déserts et océans m'avaient fait oublier les arbres, le chêne glorieux et l'olivier prodigue... En «pleine voie», j'oscille entre l'impatience de vous voir et la jouissance de ces minutes supplémentaires offertes à l'attente. J'ose enfin prononcer ce mot si habilement contourné dans nos missives. La nommer eût aussitôt assigné au lien une finalité plus ou moins programmée. Et nous refusions cette assignation, dans la crainte inconsciente qu'elle ne modifie la qualité précisément «innommable» de cet échange qui s'obstinait à persister dans la durée. Obstination de nature à ce point singulière que nous nous en estimions comblés, en quelque sorte. Sinon, comment expliquer notre prudence à avancer d'un pas, lors de cette fameuse soirée, il y a deux ans, où nous avons partagé ce dîner en l'honneur d'un écrivain que nous admirions tous deux? C'est là que je vous ai parlé de mon goût pour le cinéma «en matinée», vous souvenez-vous?... et nous avons *attendu* vingt-quatre mois pour pénétrer dans la salle sombre à l'heure où la lumière nous narguait. Ni l'un ni l'autre n'avions eu l'audace de briser le pacte muet, de tenter le nouveau, d'oser l'échec, ni l'un ni l'autre n'avions souhaité, ou pu, renoncer à *l'éternel retour* de l'attente – à l'éternel retour de la *joie* de l'attente. L'une de vos lettres m'est apparue, à la relecture, très explicite sur ce jeu (car c'en était une forme) : «penchant pervers vers la distance, patience infinie pour attendre la prochaine surprise, la révélation de l'insoupçonné, une émotion plus forte qu'au début». Un quitte ou double, en un sens. Peur du risque ou hardiesse suprême? Équilibristes sur une corde au diamètre de plus en plus mince…

En ces deux années, beaucoup de basculements, ne serait-ce que de millénaire (sur cette entrée dans la nouvelle ère, j'avais apprécié que nous n'ajoutions rien au concert diffusé sur les ondes et dans les journaux – autre preuve, s'il en était besoin, que les dates n'étaient pas notre affaire). Quelques jours avant le basculement, un caillot importun dans le sang avait privé ma mère de la fierté d'écrire la date en commençant par un « 2 », dernière joie brutalement ravie à son espérance d'enfant née dans un monde si différent. Ma mère avait grandi avec l'amour du progrès et l'illusion de ses prouesses. Née en 1913, l'année 2000 lui était toujours apparue comme un rêve inaccessible, et voilà qu'elle s'offrait à elle, à la petite fille encore vivante, en ce dernier mois de décembre du siècle. Quatorze jours. Quatorze jours seulement l'en séparaient. Quatorze jours qu'elle ne connaîtrait pas. Je n'avais pu m'empêcher de vous apprendre la nouvelle avec une certaine gêne, je m'en souviens, celle de vous imposer cette intrusion de la réalité dans notre histoire.

Le train est toujours arrêté « en pleine voie » sans la moindre explication. Je reste à l'écart des commentaires exaspérés qui fusent à travers le wagon. Est-ce cette interminable lettre qui me rend soudain si patiente ? Une sensation aiguë en moi d'être *déjà* avec vous. Ce qui s'amenuise, en même temps que la distance qui sépare Paris de notre gare, c'est l'écart entre le mot et la caresse. Il est précisément midi dix dans ce train arrêté, l'heure où Zarathoustra le danseur, allongé dans l'herbe au pied d'un arbre, s'écrie dans le plus grand silence : « Le monde ne vient-il pas d'être parfait ? » Il m'apparaît de plus en plus clairement que, pendant ces deux années où nous avons choisi de *ne pas* partager la projection d'un film en matinée, chaque phrase échangée, chaque lecture, chaque image partagée n'était qu'un pas de plus de nos *corps* l'un vers l'autre. À l'évidence, la donne avait changé, et si *Kairos* ne jugeait pas encore favorables les circonstances de ce rapprochement, il préparait son apparition avec autant de ruse que d'habileté. Son intervention la plus malicieuse fut sans doute de m'inciter à me doter enfin d'une de ces adresses électroniques qui allaient bientôt priver les épistoliers du bonheur d'attendre le facteur… J'attendis plus d'un mois, je m'en souviens, avant d'envoyer un premier message à cet improbable *hotmail.com* qui vous tenait lieu d'adresse sur une carte de visite que vous m'aviez tendue le soir de notre première rencontre, juste avant de nous séparer. Un *hotmail* qui datait donc de plus de trois ans et j'avais doublement eu l'impression de lâcher un pigeon voyageur en vous adressant deux lignes légères où je vous confiais toute ma perplexité. Elles sont encore dans la machine, ainsi que votre réponse presque immédiate, et tout aussi courte, me souhaitant la bienvenue dans cet espace sans intermédiaire. Comme prise d'un regret à l'instant de «cliquer» sur ce définitif «envoyer», j'avais ajouté un post-scriptum: «Surtout, que le papier ne disparaisse pas.» Vœu pieux, vous le savez trop bien… Ainsi, les derniers mots que je reçus de votre main datent du 3 avril de l'année dernière, une carte postale où vous m'annonciez votre départ pour le pays de l'enfance. Pour la première fois, vous me donniez votre adresse là-bas, un nom de rue, un numéro, un quartier. Du concret. Enfin du concret. Je pouvais acheter une carte et tenter de situer cette rue qui portait le nom d'une caravelle de Christophe Colomb. Est-ce par esprit de contradiction que je choisis justement cette fois-là pour déroger au rituel? ou bien par manque de confiance dans le service des postes de votre ville? ou encore parce que je n'ai jamais réussi à trouver le nom de la rue sur le plan? ou enfin (et c'est beaucoup plus probable) parce que la chaleur de vos mots, ce jour-là, m'avait enveloppée de la plus douce façon: «Votre dernière lettre, m'écriviez-vous, m'a laissé avec une sensation qui ne me quitte pas: l'envie de vous accompagner dans un monde qui m'est inconnu.» Pourquoi aviez-vous choisi, pour me révéler ce désir, l'image de «l'Ange pleureur» de la cathédrale d'Amiens? Ce bébé potelé, au chagrin si lourd, pris en tenaille entre la mort et le temps qui passe, je l'ai regardé plus longuement depuis que j'ai entrepris de relire (ou de relier) notre histoire (ce n'est d'ailleurs qu'hier soir que j'ai identifié la clepsydre sur laquelle est posée sa main gauche). A-t-on besoin d'avoir de la peine pour être consolé? Je crus comprendre qu'une élection vous retiendrait là-bas plus long-temps que de coutume. Et c'est le temps de cette absence que j'ai choisi pour faire une chose que je n'ai pas encore osé vous avouer: pour la première fois, j'étais allée voir à quoi ressemblait le quartier où vous habitez. L'arrondissement m'avait été fami-lier autrefois, mais j'étais incapable de situer sur le long boulevard bordé d'arbres le numéro à trois

chiffres que j'avais tant de fois inscrit sur l'enve-
loppe blanche. Je m'y étais rendue en voiture, que
j'avais garée bien avant d'atteindre les trois chiffres.
Je souhaitais me rendre à pied jusqu'à votre porte
d'entrée, comme j'imaginais que vous le faisiez,
chaque jour, tenter de deviner quel bistrot vous
aviez élu pour y boire votre petit café du matin en
lisant le journal (j'avais pu déduire cette habitude
de plusieurs messages adressés au retour de ce que
vous appeliez votre «pause matinale»). Le choix
me fut difficile, car aucun n'était assez proche, ni
assez charmant, pour s'imposer sans hésitation. En
effet, votre immeuble était situé dans une portion
plutôt résidentielle du boulevard et les premiers
îlots de vie se trouvaient à égale distance au nord
et au sud. En sortant, tourniez-vous à droite, ou
bien à gauche? Une pente naturelle glissant vers
le cœur de la ville m'aurait plutôt incitée à tourner
à droite, mais le sud avait aussi ses charmes, un
grouillement plus sympathique de commerces d'ali-
mentation, une atmosphère plus provinciale... Au
fond, c'était sans importance, j'étais de toute façon
certaine de marcher dans vos pas. Et peu à peu,
je vous l'avoue, vos pas se sont plus ou moins
confondus avec ceux des artistes et des écrivains
morts qui avaient hanté le quartier, vous m'aviez
d'ailleurs raconté que le plus grand poète de votre

pays avait habité non loin de là, et soudain j'y ajoutais Miller et Hemingway, Rilke, Breton, Picasso, et Verlaine, et Rimbaud, j'y voyais grandir le petit Victor Hugo quand c'était encore la campagne, et, et… Mais vous savez tout ça mieux que moi, vous à qui n'échappe jamais une plaque apposée sur un mur. J'étais sortie du temps, une fois encore, du vôtre, du nôtre. Aussi ai-je hâte, ce soir, que vous me révéliez vos manies et votre préférence… Savez-vous ce qu'écrivait Tchékhov? «Chacun vit sa vraie vie, sa vie la plus intéressante, à l'abri du secret.» Qui aurait pu se douter qu'en cet après-midi de printemps, ma *vraie vie* se déroulait à l'abri des grands platanes de cet interminable boulevard? Personne assurément, et ce secret me réchauffait, tout autant que la sensation de douceur qui s'était emparée de moi depuis la lecture de votre carte… C'était ma façon de répondre à votre «envie»: *j'accompagnais* votre ombre légère laissée un peu partout sur les trottoirs, elle rendait mon pas plus aérien. Est-il besoin que je vous rappelle les mots de notre danseur? «Le pas de quelqu'un révèle s'il marche sur son propre chemin.» Ce pas, je l'ai trouvé, je l'ai instantanément reconnu, ce jour où nous avons marché si délicieusement le long du fleuve, mais ce n'était plus votre ombre à mes côtés, et nos mains se frôlaient, et les pas s'accéléraient, chaque fois plus assurés, comme entraînés par le rire dans nos cœurs.

Le train est reparti, les voix dans le wagon se sont tues. Le retard, à l'arrivée, sera d'une demi-heure environ. J'espère que, tout comme moi, vous vivrez ce contretemps comme une chance de jouir un peu plus longuement du bonheur du pré-sentiment – le temps pour moi de méditer encore sur les acro-baties auxquelles nous nous sommes contraints afin de retarder cet instant... Une seule fois, vous m'avez écrit «devons-nous reculer?». C'était il y a quinze jours à peine, en réponse à ces lignes brèves où je vous signifiais que je venais d'acheter mon billet «joker» (c'est son nom, je n'invente rien!) pour la gare où vous vous trouvez peut-être déjà. «Avant et Après» étaient les mots que j'avais ins-crits en «objet» de mon message, soufflés à mon oreille par Gauguin (avez-vous lu son émouvant *Journal*?)... Peut-être, dans ce mince morceau de papier imprimé qui m'autorisait le voyage, aviez-vous soudain reconnu le tranchant du rasoir de notre dieu? Le tranchant de la «chance aimée», dont je vous parlais plus haut. Un tranchant exquis, que j'ai «composté» tout à l'heure avec le plus pur enthousiasme... Mais votre peur, pendant cette seconde d'hésitation qui avait suffi pour que vous écriviez ces trois mots, je la comprenais, c'était celle qui avait poussé l'artiste à sculpter une statue du « repentir » à côté de celle du « juste temps »… Ces trois mots étaient ceux du passant trop curieux qui perd de précieuses secondes à questionner le dieu tandis que celui-ci « lui glisse entre les mains »… Ce billet était en somme notre premier pacte. J'aime les pactes, je les aime insolites, uniques, secrets, libérateurs. *Free.* C'est ainsi que je nous rêve – libres. Et si je vous le murmure en anglais, c'est parce que ce joli mot, *free,* signifiait autrefois *beloved,* aimé. Il viendrait du sanskrit « priyah », qui désignait celui qu'on aime, l'ami, le *friend,* vous voyez comme tout s'ajuste si parfaitement…

Mais il n'empêche, ce billet, irrémédiablement, avait transformé l'espoir en attente, il n'était plus question, en effet, de se complaire en secret dans la douce expectative des mois, des jours, des minutes qui « antécédaient » l'arrivée probable d'une lettre. C'est à cela que pendant quelques secondes vous ne vouliez plus renoncer, à ce frisson du quitte ou double, au risque permanent de la perte. Risque d'autant plus exaltant qu'à ce jeu, jamais nous n'avions perdu. « Double est la façon d'être de la vie », peut-on lire au détour d'un des sonnets d'amour de ce Voyageur immobile dont vous m'avez offert la biographie, « la parole est une aile

du silence, et il est dans le feu une moitié de froid»,
poursuit-il… Pendant quelques secondes, vous ne
vouliez plus renoncer à ce que vous aviez un jour
appelé «la fantaisie de vous» – «fantaisie» qui
n'avait rien de capricieux ni de fantasque sous votre
plume, mais remontait à la racine de *phantasia* – à
cette *image qui s'offre à l'esprit*. Et quelle était cette
«fantaisie»? quelle figure de moi se dessinait dans
votre imagination à grands renforts de mots et de
silences? «Celle d'un personnage échappé d'une
cosmogonie grecque», aviez-vous proposé en rece-
vant l'énigmatique photo du lys rose… D'autres
fois, vous tentiez de saisir la silhouette mouvante
d'une promeneuse au bord de la Seine, en aval de
Paris, déjà dans la campagne, celle des impression-
nistes, de Flaubert et de Maupassant, vous tentiez
de suivre la voyageuse sur les petites routes d'Allemagne ou d'Irlande, dans le désert de Jordanie ou
le gris de Londres en hiver – image forcément
fuyante puisque de nous-mêmes nous ne livrions,
avec ce subtil mélange de flou et de précision, que
le calendrier de nos déplacements.

Le relief est plus accidenté dans cette dernière portion du voyage, on se croirait presque dans les Vosges
parfois, au milieu des sapins; le train perd de sa
vitesse et mon regard s'émeut devant les proportions
parfaites d'une ferme isolée dans la campagne,

j'aimerais repérer l'endroit exact où elle se trouve, afin de vous la montrer lorsque nous traverserons cette région, au retour, ou une autre fois, et alors je vous dirai : « la voici, voici la ferme dont je vous parlais dans la lettre » (dans cet avenir rêvé, est-ce que nous nous disons « vous » ?), celle qui s'est imposée par sa beauté, là, au présent, alors que je vagabondais dans notre histoire, je pourrai même vous dire où se trouvait ma « fantaisie de vous » à la seconde où elle m'est apparue : j'étais au pied d'une cascade vertigineuse d'un rio amazonien que vous aviez photographiée (pour moi ?) au cours de l'été de la première année du siècle. Grâce à vous j'étais soudain là-bas, si loin, devant ce torrent blanc qui semblait surgir des arbres mêmes. Je suis là-bas, je suis au bord du rio Peréné et il y a longtemps que la ferme a disparu de l'horizon. Comme il avait été long, ce silence-là, ai-je remarqué hier, il avait duré plus de quatre mois et les croix violettes s'enracinent dans la touffeur tropicale, de l'Amazonie au Vietnam. « De l'eau, de l'eau, de l'eau », m'écrivez-vous de la lointaine Asie, « même si loin de la Méditerranée », remarque qui me laisse croire que je vous avais adressé un mot de l'île d'Homère, élue cette année-là par mon caprice d'été : Chio.

Pour être tout à fait sincère, je crois que vous n'aviez pas été étranger à ce choix. Vous m'aviez fait part de votre enthousiasme à la lecture d'un livre sur *Le Monde d'Homère*, c'était son titre, dont j'ai oublié l'auteur. « Préférez-vous l'Iliade ou l'Odyssée ? », vous avais-je demandé comme aiment à le faire les enfants. J'avais souvent pensé qu'on pourrait classer les humains en deux catégories : les « Iliade » et les « Odyssée ». À l'évidence, je penchais du côté *odyssée* et vous imaginais plutôt côté *iliade* – la figure du héros vous troublait, l'orgueil, le courage, la vertu, et l'implacable des batailles, des trahisons, de la cruauté, vous étiez du côté de l'histoire et moi de la géographie, vous avez tant à m'apprendre sur l'histoire (autant que sur les mystères des statues des jardins parisiens…), tandis que je vous entraînerai sur la *mer vineuse* avec l'illusion d'un temps immobile et divin. Et puis, pour nous mettre d'accord, histoire et géographie s'épousent en littérature, n'est-ce pas ? Dans les villes et dans la campagne, j'ai tout autant marché à l'ombre des créateurs qu'à celle de leurs créatures, j'ai cherché Ulysse à Ithaque et Hypérion à Calaurée, j'ai suivi Bloom à Dublin et rêvé de Fabrice et Clélia à Parme…

Mais cet été-là, ce fut l'ombre d'Homère, rien de moins, qui m'entraîna, l'inépuisable Homère dont sept villes se disputent la naissance… Alors pourquoi, entre les sept cités qui jouissent de ce privilège, avais-je choisi Chio ? Parce que c'était une île. Vous l'avez maintenant compris : j'aime les îles. Les îles perdues sur *ma* mer d'huile, tels les paquebots de l'enfance, peut-être… Paquebots définitivement à l'ancre, certes, mais néanmoins solitaires, séparés (libres ?). Jamais je n'avais vu si grande île, elle a ses montagnes, ses vallées, presque ses climats, son Nord boisé et son Sud plus aride, elle est comme un morceau détaché du continent, narguant Izmir, en face, Izmir la turque, Izmir/Smyrne d'Homère, vous voyez, les îles ne sont pas libres… leur ancre, c'est l'histoire. Mais cet été-là, celui de l'an zéro du millénaire, la lumière y était aussi douce qu'à Ithaque et les chèvres acrobates dévalaient les pentes des collines. Que vous ai-je dévoilé de mon séjour à Chio ? Aucune allusion dans votre correspondance ne fut capable de me mettre sur la voie. Dans l'espoir de me rafraîchir la mémoire, j'ai recherché hier soir les photos que j'avais pu prendre de l'île. Par bonheur, j'avais été assez méfiante pour noter au crayon le nom des villages au dos de chaque image et ce que j'ai découvert va vous troubler, j'en suis certaine. (Et je m'étonne doublement de ne pas m'être empressée de vous en faire part à l'époque… encore un mystère à éclaircir…) Voici les faits : parmi les dizaines de clichés, l'un d'eux, estampillé « non facturé » car totalement surexposé au point d'avoir pris une couleur rouge laissant à peine deviner son sujet, attira aussitôt mon œil. Au dos était écrit «Volissos», nom d'un village du Nord (je l'ai vérifié sur la carte). Pourquoi avais-je conservé une «œuvre» aussi ratée? À première vue, on distinguait la silhouette d'une cheminée de pierre en ruine, sur laquelle était apposé un écriteau plus pâle et il me fallut une loupe pour déchiffrer l'inscription qui s'y trouvait, en anglais et en grec: «*According to legend, the poet Homer lived here.*» Quelles voies mystérieuses avait pu prendre la légende pour aboutir à ce pan de mur et à cet improbable écriteau?… Mais, surtout, que s'était-il passé pour que, parmi toutes les photos prises, elle seule fût frappée de la sorte par l'éclat d'une lumière trop vive? Par quelle fente invisible le jour s'était-il introduit dans la boîte noire pour rendre presque indéchiffrable une affirmation aussi incongrue que troublante? Cette facétie du poète par delà les siècles m'avait réjouie et je compris pourquoi ce cliché «non facturé» m'était de loin le plus précieux, comme m'est précieuse toute illusion d'embrasser un autre temps que le mien. Chio était prodigue en illusions, à la mesure de son illustre patron. Volissos n'était pas seul à revendiquer les traces d'Homère. Le Sud réclamait les siennes: le cadre était plus idyllique, un banc taillé dans une pierre grise au milieu des pins et des oliviers, devant la mer, face à un rocher plat qu'on se plaît à désigner comme siège du poète aveugle… et je remerciais la croyance des hommes qui, de siècle en siècle, avait permis à la légende d'arriver jusqu'à moi – ça me rappelle une phrase de Borges que j'avais recopiée autrefois, et qui disait à peu près ceci : *la vérité historique n'est pas ce qui s'est passé : c'est ce que nous* pensons *qui s'est passé* (j'espère ne pas trop l'estropier). Sans cette fable, en effet, je n'aurais jamais emprunté en ce matin brûlant de septembre ce chemin de terre à peine visible entre les hautes herbes desséchées pour marcher, le cœur presque battant, vers cette plate-forme insolite dominant la mer où, à l'évidence, des hommes avaient sculpté le roc, ici même ils avaient respiré, souri, crié, rêvé, ici. Sculpté, entre autres, des statues de lions qui, à en croire le témoignage d'un voyageur passé par là cent ans plus tôt, pouvaient représenter « le feu et la force avec lesquels écrivait le poète »… Beaucoup rêvé, comme vous voyez… À quel ancêtre rêve-t-on au pied d'une cascade amazonienne ?… Mon unique expérience de dérive sur un rio brésilien s'apparenterait à celle de la route dans le désert : une sensation exacerbée d'être au monde, sans la chaude présence des morts illustres, seulement la force de l'espace, et notre corps fragile, au beau milieu, qui soudain se croit éternel…

Je me demande pourquoi je m'évade aussi loin à mesure que ce train me rapproche de *nous*. Au cours de ma « relecture », j'ai recopié une phrase de vous, sans la dater, tellement elle me semblait exprimer les atermoiements de nos cœurs en ces années vagabondes : « sentiment d'impuissance face à la multiplicité des rayons sans arriver à déceler la position du soleil », m'écriviez-vous. Au pied de quel arbre solitaire *Kairos* s'était-il alors endormi ?... C'est là que je l'imagine, notre dieu, serein, attendant son heure à l'ombre d'un chêne, tandis que vous vous faisiez couper les cheveux par une femme à la frontière de l'Équateur. J'avais eu droit à ce détail, cet été-là, vous voyez, nous faisions des progrès, le « concret » s'infiltrait doucement, j'imaginais le cybercafé rudimentaire dans lequel vous lisiez votre courrier, quand « l'arrivée d'un bus aléatoire » vous avait empêché de me répondre « sur-le-champ », tout était là, soudain, devant moi, la chaleur, les routes, les voitures, la poussière, la coiffeuse, j'imaginais la scène en plein midi, allez savoir pourquoi... Vous me direz... Comme il est vif, je m'aperçois, ce désir en moi de remplir les blancs, de confronter les petites histoires que je me racontais à partir de ces minuscules confidences à la réalité de vos mouvements et de vos états d'âme.

Et cette lettre, qui, à l'origine, n'avait pour ambition (irréalisable) que de conserver une trace infime de cet état de grâce dans lequel je vis depuis que je suis montée dans ce train, se transforme peu à peu dans mon esprit en une longue liste de questions suscitées par le récit de nos errances et de nos lectures croisées.

Il y avait de quoi perdre pied, parfois, si frêles étaient les esquifs sur lesquels nous naviguions (frêles, sans doute, mais à l'évidence insubmersibles, puisqu'ils ont su nous mener au port...). Ainsi devais-je être bien proche du découragement lorsque je vous avais adressé au printemps qui suivit l'été homérique la photographie irlandaise d'une publicité pour Guiness qui décorait la façade bleu vif et rose bonbon d'un pub de village : entre deux chopes de bière brune était inscrit en lettres rouges le slogan « *Guiness is good for you* », sous lequel un sage humoriste avait ajouté « *It's an illusion* » au-dessus d'une bombonne de gaz pour le moins inquiétante... Photo accompagnée de ma main d'une légende des plus lapidaires qui vous avait ému au point de me la recopier : « Je me sens paresseuse et irréelle, alors cette image conviendra »... Pourtant, rien de moins irréel que ce voyage en Irlande au printemps, la découverte des doubles arcs-en-ciel, des tendres verts mouillés après l'orage, des samedis soirs au pub, des rires, de la fumée, de la musique. En nul autre point du globe je n'avais vu lumière aussi changeante, jamais le ciel n'était au repos, l'irruption d'un nuage d'ardoise surprenait au tournant du chemin, à la seconde même où vous vous extasiez sur l'éclat exceptionnel d'un rayon de soleil sur le gris des pierres des maisons. Je me souviens tout particulièrement d'une longue plage de sable à l'Ouest de l'île, qui accueillait avec la même sérénité la mousse blanche des vagues et le ballet des cumulonimbus entre lesquels le soleil tentait une percée désespérée jusqu'à l'inéluctable victoire de la pluie… Comment grandissait-on face à cette mer-*là*? J'avais assisté au coucher du soleil, un soir de grand calme (ils furent peu nombreux), au sommet des célèbres falaises de Moher. À l'instant même où je les avais découvertes, si hautes, et si sombres dans le contre-jour, elles m'avaient aussitôt évoqué la photo de votre océan que vous m'aviez adressée (celle qui semble prise «de la mer»): certes, vos falaises étaient moins régulières, et le haut plateau moins lisse, mais la roche avait la même couleur brune presque noire, si bien qu'à côté de la vôtre, sur ce mur où sont épinglées vos cartes postales et vos images, j'avais rajouté une photo prise ce soir-là. C'était mon Pacifique à moi… que je n'avais pas osé vous montrer, par crainte, sans doute, que vous ne trouviez le rapprochement trop saugrenu, préférant vous adresser cette « illusion » sur laquelle il était plus facile d'accrocher toutes nos chimères… « Nos chimères sont ce qui nous ressemble le mieux », écrivait notre cher Hugo, souvenez-vous…

Et le problème (était-ce un problème ? excusez cette facilité de langage, le temps me presse) était là en un sens : comment concilier ce bonheur de nous rêver au désir de plus en plus lancinant de nous connaître ? « Comme d'habitude, il y a peut-être plus de peur que d'audace », m'écriviez-vous l'année dernière, le jour de votre quarante-septième anniversaire, me rappelant que c'était à cet âge que Miller situait sa « naissance spirituelle ». Nos mots nous précèdent souvent, vous le savez bien… Et nous n'avons pas boudé notre plaisir, nous nous en sommes offert à cœur joie, des mots, des mots à lire et à relire, sans parvenir à l'écœurement, bien au contraire. C'était à eux d'entraîner les corps, s'ils étaient assez puissants, nous leur avons lancé ce défi, aux mots, le défi de pousser nos corps l'un vers l'autre, inéluctablement. Je me trompais tout à l'heure : en vérité *Kairos* ne dormait que d'un œil, il comptait les points, rythmait les échanges, presque invisible, tout en haut à gauche du tableau, comme sur ce sarcophage romain retrouvé je ne sais plus où en Italie, censé représenter l'étreinte d'Arès et d'Aphrodite. Vous connaissez la légende, vous qui êtes allé à Chypre, vous me raconterez, la statue blanche de Paphos, le temple, la mer, et la belle histoire, celle de la déesse de la beauté mariée par Zeus à Héphaïstos le boiteux, et du dieu de la guerre, son amant. Au fil des jours, ils se retrouvaient en secret, jusqu'à cette aube funeste où Hélios les surprit et le rapporta au mari, qui piégea les amoureux dans un filet de bronze invisible, aussi fin que le fil de la Vierge... Et sur ce sarcophage, ai-je lu, apparaît la petite figure d'un jeune homme qui tient d'une main une torche et de l'autre un rasoir, s'éloignant à la seconde même où le dieu Soleil les trahit... Pour Arès et Aphrodite, c'en est fini de l'occasion, du juste temps de l'union, de l'à-propos... Mais, me direz-vous, la légende est peut-être à ce prix, au prix de l'amour contrarié...

Êtes-vous déjà dans la gare ? Vous devriez – l'heure prévue d'arrivée est passée. J'ai ouvert mon portable. L'excuse serait facile, pour l'un ou l'autre, de briser le pacte du silence. Je résiste, quoi qu'il m'en coûte. Une peur me saisit par à-coups – non plus celle de votre recul, mais celle, plus banale, plus terrible, de l'accident au cœur de la nuit. Était-ce vraiment une bonne idée de prendre la route aussi tard ?

Romanesque, certes… Je vous l'avoue, là, en cette minute, je n'ai aucune envie d'une légende d'amour contrarié… Nous n'avons pas résisté à nous offrir ce dernier obstacle : était-il l'obstacle de trop ? Toute ma raison me souffle le contraire. Ce choix d'une gare inconnue pour entamer le chapitre essentiel de l'histoire n'est-il pas en parfait accord avec nos voltiges inédites dans l'espace et le temps au fil des mois ? L'image s'est imposée (sans doute inspirée par l'état bondissant de mon cœur) : celle de ces virtuoses du trapèze volant qui, projetés dans le vide avec l'apparente audace des innocents, se rattrapent miraculeusement à leur partenaire – comparaison trop flatteuse, sans doute, mais qu'importe… Dernier saut, donc, et n'était-il pas naturel qu'il fût le plus périlleux ?

La lettre de papier était-elle notre filet de protection ? Je me le demande, tout à coup, tant il me semble que le ballet s'était accéléré depuis l'échange virtuel. Les lectures devenaient parallèles, les émotions simultanées : ainsi, ce jour de septembre dernier où, du «fond de votre paresse dominicale», vous m'aviez recopié – en latin – quatre vers *bucoliques* de Virgile, vous m'en donniez la référence et je n'eus aucun mal à les retrouver dans mon édition bilingue, c'était un après-midi inondé de soleil, je m'en souviens (mon bureau est orienté à l'ouest), aussi désœuvré pour moi que pour vous – mais je ne vous l'ai pas dit. En les lisant, je compris mieux pourquoi vous aviez choisi de les recopier dans leur musique originale – aucune cuistrerie de votre part, mais simplement le désir de rendre *présente*, par l'oreille, cette vie champêtre d'il y a vingt siècles ; ces quatre vers étaient également une invitation à se reposer « sur un lit de feuillage », celle de Tytire à Mélibée, en dégustant des « châtaignes molles », tandis que *l'ombre s'allonge* sur les collines. À l'époque, vous ne saviez rien de la maison et du petit bois qui nous attendent ce soir mais, je peux bien vous l'avouer maintenant (le train sera en gare dans un quart d'heure), c'est à ce lieu si familier, à ce pays de châtaigniers, que j'ai aussitôt associé votre tableau virgilien. « Continuez à être paresseux de la sorte », vous avais-je simplement répondu. L'été touchait à sa fin, nous vivions ces semaines si particulières de « rentrée », quand l'air de Paris se charge d'électricité ; il s'agit de composer le paysage du prochain hiver, tout n'est plus soudain que projets, créations, expositions, parutions… et je m'étais empressée de vous signaler que quelques-unes de mes photographies de nuages allaient être exposées dans le hall d'un petit cinéma d'art et essai.

Et vous êtes venu.

Près de deux années s'étaient écoulées depuis ce fameux dîner où nous avions décidé de *ne pas* partager un cinéma en matinée. Vous êtes arrivé très tard, à une heure où vous preniez le risque que je sois déjà partie. Sur le fil, comme d'habitude. Était-ce la marque de votre hésitation ou est-ce ainsi que vous aimez vivre – toujours ? Vous avez invoqué une excuse pour ce retard, et j'ai fait semblant de vous croire. Vous étiez *là*. Cela seul comptait. Et nous regardions tous deux mes nuages. Ils dessinaient comme un chemin sur le mur. Sans doute ai-je dû vous exprimer mon regret de n'avoir pas daté avec exactitude chacun des clichés : il avait fallu que je les voie ainsi rassemblés pour que l'essentiel ne me parût plus être le nom des lieux où le ciel m'avait offert ces tableaux magiques – tout avait commencé aux îles Lofoten, dans un petit port qui s'appelait Rena, au Nord de la Norvège, on y louait des chalets de bois posés sur l'eau, face à ce ciel dont les nuances infinies de rose m'avaient tenue éveillée des nuits entières. Au retour j'avais regardé autrement la lumière des couchants, avec l'espoir de saisir ce qui faisait la spécificité de ces ciels de minuit du Grand Nord. J'avais scrupuleusement noté sous chacun des clichés le nom de ce petit coin de la terre où j'avais appuyé sur le déclencheur, et j'étais surprise, en les voyant pour la première fois ensemble, de constater que le Nord n'était pas plus grandiose, que les compositions les plus éblouissantes avaient parfois été saisies de la fenêtre de ma chambre, près de la Seine… Ainsi, ce que m'avaient offert les Lofoten, ce n'était pas seulement des ciels uniques, elles m'avaient surtout appris à *voir*. Et là, devant vous, pour ne pas parler de nous, je vous expliquais qu'il m'aurait été plus précieux de pouvoir suivre le fil du temps et non des lieux sous ces images, le fil de ces presque vingt ans, le fil de mon maigre temps à moi sous ce grand ciel unique… Il restait quelques visiteurs dans cette galerie improvisée, mais je ne les voyais plus, j'avais envie que cet instant se prolonge, vous auriez pu m'arracher n'importe quelle confidence, cette rencontre ne ressemblait en rien à la précédente, c'était une certitude. La sensation, déjà ce jour-là, de coïncider avec moi-même, comme en cette minute où j'écris. J'étais heureuse que mes élucubrations sur les années qui passent vous conduisent à me poser des questions sur le pays de l'enfance, quand je ne savais rien des nuages. À Alger, le ciel est bleu, ou bien il pleut, c'est ainsi que ma mémoire d'enfant a composé le tableau : pas de ciel menaçant ni tourmenté. Nous avions un jardin sauvage en contrebas de la maison, il descendait en espaliers jusqu'à la villa voisine et si je voulais voir la mer et l'horizon, il fallait que je grimpe sur la plus haute branche du figuier. Est-ce seulement pour voir la mer que j'ai appris à grimper aux arbres ? Je ne crois pas, j'aimais déjà la voltige, sans doute, et je me balançais pendant des heures la tête en bas sur le très haut trapèze de l'École au Soleil (c'était *vraiment* le nom de mon école, que j'épelais *Écolosoleil,* tout comme j'écrivais parc *Monrian*). Dans le jardin, mon arbre préféré était le citronnier : l'une de ses branches basses avait poussé à l'horizontale et permettait les acrobaties les plus extravagantes. *Des journées entières dans les arbres...* Ainsi fut l'enfance. Avez-vous remarqué comme, sans cesse, nous revenons à eux ? J'ai l'impression d'avoir beaucoup parlé, ce soir-là, devant les photos de nuages. Je ne sais plus si je l'ai pensé alors – je mentirais si je l'affirmais – mais en revivant la scène aujourd'hui, je me dis qu'aucun décor n'aurait pu mieux s'accorder à notre rapprochement que ces instantanés de ciels dérobés dans le monde entier. Car, pas plus que de demeure dans le temps, nous n'en avions alors dans l'espace. *Nous, à qui le monde est patrie, comme aux poissons, la mer...* si souvent je me suis récité ce vers de Dante en marchant sur les routes inconnues. Spontanément, sans que j'aie eu besoin de les montrer, vous vous étiez arrêté devant deux photographies prises en

Amazonie : « fleuve Amazone, entre Manaus et Santarém », se contentait d'indiquer la légende. Je me souvenais parfaitement de ce crépuscule sur l'eau noire, du ciel pourpre et du bateau blanc qui descendait jusqu'à Belém, mais c'est à votre cascade sur le rio Peréné que je pensais en vous parlant, à votre dernier été. L'Amazone n'était pas le rio Peréné, mais qu'importe. « C'était en 1987 », ai-je balbutié. Où étiez-vous, en 87 ? Déjà *ici*, si mes calculs étaient exacts. En silence, nous refaisions le chemin à l'envers, mais nous n'avons rien dit. S'engager sur cette voie risquait de nous mener au-delà des limites que nous nous étions plus ou moins consciemment fixées ce soir-là. Après tout, cette rencontre n'était que la troisième, et peut-être nous leurrions-nous sur cette sensation de connivence profonde nourrie au fil des mots et des silences. Tout mon corps me criait le contraire, mais je m'accrochais au peu de raison qui me restait pour me dire qu'il n'en était pas forcément de même pour vous, que rien ne vous obligeait à partager mon trouble, ma certitude, mon ravissement. Rien.

Jamais, je crois, je n'avais attendu avec autant d'impatience, autant de fièvre, l'arrivée de votre message – au lendemain. Car il *fallait* que ce fût le lendemain. Tout retard eût été discordant, et le rythme, rompu. Mais le message était bien arrivé. Vous l'aviez intitulé «Parenthèse». Si précieuse, la parenthèse, dans une phrase. Ne s'y glisse-t-il pas si souvent l'essentiel, ce qui échappe au contexte, mais qui l'éclaire, qui l'illumine? Dans la vôtre, l'enchantement était perceptible. Le fil s'était consolidé. Plus rien à craindre: sur les arbres, les feuilles de l'automne pouvaient tomber tranquilles, en tournoyant dans le vent. Il ne tenait qu'à nous de remplir glorieusement la parenthèse, de l'étirer, d'y multiplier les digressions jusqu'à ce qu'elle fût assez grande pour pouvoir y loger la vie. En apparence, rien n'avait changé. Pas de rendez-vous en bonne et due forme. Pas de téléphone. Seulement un partage plus intime, plus resserré de nos travaux et de nos jours. Des confidences plus rieuses, des questions plus concrètes – j'avais envie de penser à vous en musique: aimiez-vous autant que moi la huitième sonate pour violon de Beethoven? et les chansons de Frank Sinatra? Je voulais tout savoir. Pour la première fois, je vous écrivais de la maison que vous allez connaître ce soir, cette maison qui nous avait recueillis quand l'Histoire avait propulsé ma famille sur l'autre rive de la *mer d'huile*. Et je réalisais que cette traversée définitive, quelles qu'en fussent la cause et la date, avait été la condition première et nécessaire de notre rencontre. Pensée vertigineuse et douce en ce mois de novembre, et je m'interrogeais : mais vous, vous qu'aucune pression de la grande Histoire n'avait chassé, qu'est-ce qui vous avait poussé à franchir l'océan et à demeurer longtemps, si longtemps, heureusement pour moi si longtemps, de l'autre côté ? Quand on naît au bord du Pacifique, l'Europe est-elle l'Orient de l'Amérique ? vous avais-je un jour demandé. Mes *matinées* au cinéma avaient définitivement orienté mes rêves vers l'Ouest.

Quelques voyageurs anxieux se sont déjà levés pour se rapprocher des portes. Deux minutes d'arrêt, seulement, dans notre gare. Amplement suffisant. Vous souvenez-vous du jour gris de décembre où je vous ai adressé cette réjouissante mise en demeure : « Si le soleil s'obstine à se voiler la face, soyons le soleil » ? « Nous en sommes capables », avais-je ajouté. L'année nouvelle approchait et nous ne nous étions pas revus depuis le soir des nuages. Un événement s'était pourtant produit quelques jours avant Noël : vous aviez pour la première fois composé ce numéro de téléphone portable que je vous avais donné. Le si délicieux pincement de cœur que j'éprouvai en reconnaissant votre voix me fit mesurer à quel point nous avions eu raison d'ignorer le plus longtemps possible toutes les commodités de notre siècle. Peu importe qu'il y ait eu (peut-être) dans ce choix « plus de peur que d'audace », plus de paresse que de conscience, le dédain que nous avions affiché à l'égard de cet objet fort utile rendait inoubliable notre première conversation à distance. Le baiser unique n'est jamais oublié, nous le savons bien… La lecture des messages s'en trouva (du moins pour moi) aussitôt modifiée, le timbre de votre voix, dont m'échappaient encore certaines inflexions après nos entrevues, accompagnait désormais chacune des phrases que vous m'écriviez. On néglige bien trop souvent l'ouïe dans les plaisirs offerts à nos sens… Pensez-vous que j'exagère? Je soupçonne votre sourire en me lisant. Je le devine et je l'espère, ce sourire qui ne me quittait plus depuis la soirée des nuages. Je le surprenais sur mes lèvres aux instants les plus inattendus, au volant de la voiture, en marchant au bord du fleuve, en parlant, en m'endormant. Pour la cinquième fois, nous nous apprêtions à basculer dans un nouveau chiffre. Cet an «Deux» m'était déjà précieux et je voyais dans ce palindrome un signe d'exception. En réponse à mon injonction, *faisons de cette année nouvelle une création*, j'avais reçu cet engagement de vous: «Ne cessez de me faire confiance pour donner de la poésie à l'année et de la vie à la poésie»… Ces mots m'étaient parvenus d'une Normandie blanche et frileuse où vous vous étiez réfugié. Vous étiez plongé, je m'en souviens, dans la lecture passionnée d'une biographie de Hugo et je vous avais rappelé sa sublime définition: «La poésie, c'est ce qu'il y a d'intime dans tout.»

Je me hâte, il n'est plus temps de vous rappeler ici les derniers louvoiements de nos esprits pour tenter de prolonger encore les grâces de la correspondance. Ne venions-nous pas, dans ce dernier échange, de mettre en mots le commun projet? Je «piaffe d'impatience» comme piaffait votre raquette de tennis ce jeudi matin où vous m'aviez écrit en sortant de votre douche. J'aimais tellement tout ce concret – tout cet *intime* – qui s'infiltrait partout depuis la soirée des nuages. Le tennis avait dès l'enfance accompagné ma vie, j'avais débuté en usant la patience de mon père sur un vieux court goudronné qui noircissait les balles dès les premiers coups échangés. Mais le cadre était enchanteur et le «rebond exceptionnel», au dire des adultes, je ne savais pas trop de quoi ils parlaient. Ce que je retenais, plutôt, c'étaient leurs rires, ces *jeu-set-et-match* triomphants lancés par-dessus le grillage, la sueur, la joie sur les visages après l'effort, mais je vous ai raconté tout ça, je vous ai même envoyé une photo de ce court devenu mythique avec les années (sans vous préciser alors qu'il se trouve tout à côté de la maison où nous serons ce soir): on m'y voit adolescente, debout, appuyée au montant de la chaise d'arbitre, j'avais choisi la photo à cause des arbres et du cuivre sur les feuilles des platanes, mais c'est la chaise qui vous avait ému, cette haute chaise de bois un peu bancale, «où l'on a pu s'asseoir pour vous voir grandir, de saison en saison», m'aviez-vous répondu, cette chaise que mon père repeignait religieusement en blanc chaque année, au printemps. Elle est toujours à sa place, contre le grillage, mais il y a longtemps qu'on ne compte plus les points sur le court abandonné. Le filet a été enlevé et l'herbe commence à pousser sous le goudron. Vous voyez, je suis déjà là-bas, j'ai quitté la gare à vos côtés, avant même d'être assurée que vous vous y trouvez… Pourtant, un mot encore, il reste quelques minutes, quelques kilomètres, et nous sommes ce mardi de janvier, le 15, pour être précise, je ne sais pas si vous aimez les dates, si vous les retenez, si vous les fêtez, je ne crois pas, mais c'est bien ce jour-là que le jeune dieu aux pieds ailés a glissé dans le journal l'annonce d'une conférence sur les écrivains de Trieste, ce tout petit entrefilet dans l'agenda culturel, que nous avions décidé l'un et l'autre d'interpréter comme un signe. Il m'arrive de me demander combien de temps encore aurait pu durer le ballet, combien de fois, de semaine en semaine, la raquette de tennis aurait piaffé d'impatience, combien de lectures seraient venues à notre secours pour *donner de la poésie à l'année…* Mais sans doute étions-nous plus pressés de *donner de la vie à la poésie,* de donner corps aux mots qui, généreusement, venaient à notre secours – je ne sais plus si c'est avant ou après, avant ce mardi si froid (car il faisait très froid, comment l'oublier, je nous revois remontant le col de nos manteaux devant la statue de Montaigne, tandis que nous nous dirigions vers ce café sans nom) –, bref, je me souviens de mon allégresse lorsque j'étais tombée un matin, peu après, sur cette phrase de Julien Gracq que je m'étais empressée de vous faire partager : «Le monde sourit à ceux qui succombent à la tentation» (je vous avoue aujourd'hui que cette trouvaille n'était pas le fruit d'une lecture attentive de l'auteur, mais seulement celui du hasard d'une recherche sur internet – et j'aurais été bien en peine de vous en communiquer la source…). Je ne souligne là rien que de très banal, au fond – cette impression que les preuves viennent à nous, chaque fois que notre esprit s'aimante sur un sujet, soudain les livres s'ouvrent à la bonne page, les images pleuvent pour irriguer les neurones, affûter le raisonnement, tant notre soif est grande de parvenir à nos fins. Claudel l'a dit beaucoup mieux que moi, vous rappelez-vous ? «Même l'intelligence ne fonctionne pleinement que sous l'impulsion du désir»… Nous sommes devenus de plus en plus intelligents *au lendemain*, ne trouvez-vous pas ?

Allez-vous penser que je suis en train de me contre-dire, que je sacralise une date, moi qui ai proclamé si fort un peu plus haut que celles-ci n'étaient pas notre affaire? Je ne crois pas. Toute naissance a son heure, sa minute, sa seconde – comme la mort. Bouleversement. N'est-ce pas *au lendemain* que vous me demandiez de vous accompagner au cinéma en matinée? Ce qui avait changé, c'était le *rendez-vous* – sa possibilité, sa nécessité. Est-ce pour l'avoir tant différé, ce premier rendez-vous, que le mot résonnait en moi de toutes ses significations? Il était reddition tout autant que point de ralliement. Je me rendais vers vous, je me rendais à vous, dans la ferme intention de nous rendre au centuple les fruits de notre persévérance; vous aviez bien fait de choisir Flaubert pour cette première fois, Flaubert l'entêté... Oui, tout avait changé: débutait ce jour-là la longue liste des lieux où le temps serait partagé, et nous avions envie qu'ils nous ressemblent, ces lieux, qu'ils soient pour nous des codes comme avaient pu l'être les mots. Nous étions mal rodés... Que de difficulté, que d'hésitations, vous souvenez-vous, pour fixer le lieu de notre premier déjeuner, il y a trois semaines... Comme il m'avait touchée, ce message reçu un samedi matin, à votre retour d'une promenade dans le quartier du Marais, «ensoleillé comme rarement, et silencieux», précisiez-vous, le hasard de vos pas vous avait mené vers ce passage du Trésor que vous ne connaissiez pas, là même où se trouvait un restaurant dont le nom vous sembla prédestiné à nos élucubrations enfantines : Les Philosophes. « Que dit votre intuition ? », m'aviez-vous demandé. Mon intuition ne pouvait que vibrer au secret de ce passage qui conjuguait précieux et pensée… mais devions-nous risquer la déception de nos papilles pour le seul plaisir d'obéir à quelque signe présumé du destin… ? La valse-hésitation dura trois jours entre rive droite et rive gauche pour s'arrêter enfin sur le seul lieu qui ne pût nous trahir : une librairie. « Entre les photos, la voix, et les mots d'autrefois, je me demande *qui* vous allez reconnaître demain », vous avais-je écrit la veille. Vous êtes arrivé avant moi. Quand je suis entrée, vous feuilletiez un livre d'art dont je n'ai pas eu le temps de voir le titre. Nous ne sommes pas allés bien loin, juste en face la carte nous a souri. C'était notre premier tête-à-tête, sans l'alibi d'un cinéma, sans Trieste, sans l'énigme des écrivains sans œuvre. C'est pourtant de l'écrivain sans œuvre que je vous ai parlé d'abord lorsque nous nous sommes assis, comme s'il fallait absolument relier entre elles les rencontres ; j'avais recherché et relu *Le Stade de Wimbledon* (qui avait inspiré le film), non pour juger la qualité de son adaptation au cinéma, mais en quête d'un détail qui nous aurait éclairés davantage sur ce singulier personnage et peut-être aussi sur nous-mêmes (vous ne m'aviez pas encore offert le livre de Vila-Matas, mais je vous avais senti touché par ce destin) – à quoi tenait son renoncement? En lui, «savoir-être» et «savoir-écrire» s'excluaient-ils forcément l'un l'autre? Et nous, depuis quatre ans, ne nous étions-nous pas acharnés à confondre la vie et la littérature?... En souriant, je vous avais rapporté la proposition que Bazlen avait faite à la seule femme avec qui il avait partagé sa vie: «Nous écrirons un roman à deux, une phrase toi, une phrase moi, de manière à ce que l'histoire puisse avancer d'un côté et de l'autre...» *Une phrase toi, une phrase moi...* à l'image de ce déjeuner qui nous entraînait tour à tour du Pacifique à la Méditerranée. C'était l'*avant* qui nous occupait, l'*avant* Paris. Sur la table votre main ne me faisait plus peur, je l'observais, sans hâte, comme pour en imprimer la forme dans ma mémoire – une main plus petite et plus fine que celle à laquelle on se serait attendu, vu votre taille. L'avant, pour nous, était passé par l'Allemagne, c'était troublant, cette langue étrangère commune à nos deux chemins. Au fond, c'était à votre amour pour la philosophie et la poésie que je devais de vous avoir en face de moi. Nos récits chaotiques nous firent découvrir que nous aurions pu nous croiser, un été, à Berlin, au début des années quatre-vingts… Mais quelle importance… J'avais surtout envie de croiser nos enfances, d'entendre votre vie de fils et de frère, de frère du milieu, et vous m'avez parlé de votre sœur aînée, belle et grave, dont la lumière n'avait pas pu vaincre la tristesse et qui avait choisi la nuit, à vingt-six ans. Doucement, je m'approchais d'un monde inconnu, je racontais ma rue, ma vie de fille aimée, unique, les amies, les secrets, à la vie à la mort… La liberté. Le cinéma, encore, et les allers-retours de chaque côté de la mer, jusqu'au dernier aller, à douze ans… Déjà, j'aimais nos différences. Deux faces d'une même lune. Le monde s'agrandissait. Vous souvenez-vous comme le temps était doux pour un mois de février? Le soleil illuminait le petit square du Maine où j'avais voulu vous entraîner après le déjeuner pour vous montrer l'hôtel Central. Ensemble, nous avions compté les étages, jusqu'au quatrième. Nous hésitions à choisir une fenêtre – optant, finalement, pour la deuxième en partant de la gauche: Henry Miller, Anaïs Nin, ici même, soixante-dix ans plus tôt. Nous étions émus. Joyeux. Nous étions certainement les seuls dans ce square à penser à la première étreinte des amants légendaires. Les passants regardaient leurs pieds. Et dans nos têtes résonnait la

voix chaude de Miller : *We are all guilty of crime…*
« Nous sommes tous coupables de crime, le grand
crime de ne pas vivre pleinement la vie. » Il eût été
si facile de demander une chambre. Je vous aurais
suivi, vous le saviez. Et cette certitude vous suffisait,
nous suffisait. J'avais envie de m'y vautrer. Me
vautrer dans l'anticipation du bonheur. *We were
living life to the full.* La chambre du quatrième
attendrait. *Kairos* n'en voulait pas, pas plus qu'il
n'avait voulu de ce rendez-vous précipité que je
vous avais proposé devant la statue de Montaigne
une semaine plus tôt. Le rasoir avait tranché dans le
calendrier. La date était arrêtée : celle d'aujourd'hui.
Ne pas risquer le moindre faux pas dans la chorégraphie. Devant nous, ces trois semaines étaient
précieuses : l'attente avait cessé d'être indéterminée,
ce qui ne pouvait qu'en modifier la nature. Alors,
nous avons rejoint le boulevard Edgar-Quinet,
vous désiriez me montrer la tombe d'un grand
poète de votre pays, le soleil nous donnait l'exemple,
comme dit ce cher Hugo, il nous réchauffait gen-
timent, il nous suivit dans les allées jusqu'au carré
n°12. La tombe du poète portait le numéro 3 sur
le plan approximatif que l'on nous avait donné à
l'entrée. Elle fut difficile à trouver dans un dédale
d'étroites sentes qui semblaient toujours nous rame-
ner à notre point de départ. Nous n'étions pas les

premiers : lorsque nous avons enfin repéré la dalle de marbre gris perle, elle était couverte de fleurs séchées et d'objets les plus hétéroclites, allant de la tête d'angelot en plâtre blanc au billet de chemin de fer ou au simple message griffonné au crayon sur une feuille arrachée à un carnet. Juste au-dessus se trouvait celle de Beckett, devant laquelle nous nous sommes arrêtés un instant. Pas de fleurs sur la pierre ce jour-là, seulement un poème en anglais, et puis ce ticket de métro parisien glissé sous un caillou et sur lequel était écrit « *Buon viaje* ». Alors, je n'ai pas résisté, j'ai souhaité que nous marchions ensemble jusqu'au tombeau de Baudelaire – pourquoi me priver de cet émoi ? De vos mots, encore chantants à mon oreille… *vous* souvenez-vous *si le nom de Baudelaire est coincé entre celui du général Aupick et celui de sa mère ?* Comme je l'avais aimé, ce *souvenez-vous…* Mille cinq cents jours abolis en une seconde. Nous étions seuls dans l'allée et je me suis félicitée d'avoir cru au printemps en choisissant de porter ce jour-là une veste de laine courte et légère sous laquelle votre main s'est glissée facilement. Je l'avais regardée si longuement, cette main, que je *voyais* les doigts se déployer pour caresser la peau. Nous sommes restés un long moment immobiles, sans parler. Nous nous étions déjà éloignés de la tombe ; tout à coup, je songeai au jour des funérailles, au cercueil du poète qu'on avait transporté, lentement, dans cette allée, peut-être sous ce même arbre, qui sait, je prête toujours aux arbres une vie plus longue qu'ils n'en ont, sous ces mêmes branches qui abritaient en cette seconde ma plus parfaite extase, entre deux tombeaux d'inconnus. *La joie veut l'éternité, veut la profonde, profonde éternité…* Ma mémoire s'est ouverte toute seule à la bonne page du livre du danseur philosophe… Je vous ai promis la suite, tout à l'heure, la suite vivante, je vous ai promis ce qui vient après le *miel,* le *levain,* le *minuit ivre,* j'espère que nous arriverons à temps à la maison pour ouvrir le portail rouillé et pénétrer dans le jardin. La nuit tombe encore très tôt en cette saison mais la route n'est pas longue entre notre gare et le petit village qui domine la rivière. J'ai confiance en notre dieu ailé, il ne nous fera pas l'affront de nous oublier à la dernière minute et c'est dans *le flamboiement d'un couchant d'or* que nous gravirons le petit escalier qui conduit à la vue.

Le train ralentit dangereusement. Deux mots, encore, même si j'ignore quand ils seront lus. Si j'avais été peintre, j'aurais sans doute passé ces trois heures à tenter de restituer, dans un jeu d'ombre et de lumière, la joie sereine d'une matinée ensoleillée, vous savez, ces arrêts du temps que l'on ressent parfois devant un tableau de Matisse, des citrons jaunes, une fenêtre bleue, une danse, un couple nu et c'est «le bonheur de vivre»... C'est ainsi que je l'aurais nommé, mon tableau, moi aussi, j'aurais osé, mais cette lettre, cette lettre qui s'étire, peut-elle foudroyer comme un tableau? Peut-on s'y perdre et s'y retrouver comme dans ce *Jardin* de Bonnard, tremblant de vert et de joie? Faut-il du courage pour être à ce point *optimiste*? «Je me défends», répondait Matisse, au sortir de la guerre, accumulant les toiles sur les murs de son atelier, des toiles fraîches, gaies, lumineuses.

«Je ne me défends pas», ai-je envie d'écrire, je confesse, je crie mon consentement à ce moment parfait. Je *vous* l'écris. Mais quand le lirez-vous? Est-ce l'heure? Peut-être devrai-je attendre, attendre les jours et les années, et puis, enfin, un soir, quand nous aurons traversé quelques mers, quand, depuis très longtemps, nous aurons cessé de nous dire «vous», quand nous aurons marché dans les forêts, quand, peut-être, nous aurons même appris le nom des arbres, quand l'herbe aura poussé sur le goudron du court, quand la chaise d'arbitre se sera écroulée sous les intempéries, quand nous serons souvent montés jusqu'à la chambre du quatrième étage, quand nous aurons goûté un vin très rare assis sur un banc de la ville, quand, à voix haute et claire, nous aurons lu les vers de l'Iliade face à la mer Égée, quand les routes, les lits, les paysages auront même eu le temps d'être des souvenirs, alors, après les rires, après les larmes, puisqu'il y aura des larmes, après les nuits, après tant de questions auxquelles nous n'aurons pas répondu, alors, oui, un soir, je préférerais un soir d'été, j'irai chercher ces feuilles noircies à la vitesse du train, j'aurai oublié tous les mots, et, ensemble, heureux, nous les lirons enfin – pour la première fois.

Achevé d'imprimer en décembre 2010
sur les presses de la Nouvelle Imprimerie Laballery
58500 Clamecy
Dépôt légal : février 2011
N° d'impression : 012048
Imprimé en France